ファシリテーターの「在り方」

エンパワーメント・ドラムサークル

佐々木 薫 著

ATN, inc.

もくじ

Section 1

Section 2

Section 3

序　文

　2003年1月、サンフランシスコ北の片田舎マリン郡で行われたアーサー・ハルのドラムサークル・ファシリテーター養成研修、[*1] **プレイショップ**™ に初めて参加して、6年近く経ちました。当時、やはりアーサーの弟子である心理療法士のロバート・L・フリードマンのドラミングの効果と可能性についての[*2]著書を翻訳し終えたばかりの私は、「ロバートの本によく出てくるドラムサークルとは、何だろう？」と、たんなる好奇心で太平洋を渡りました。3日間を見ず知らずの人々と、しかも唯一の英語ノン・ネイティヴ・スピーカーとしてやや緊張気味の私にとって、それはとても衝撃的な出来事となりました。

　まず驚いたのは、そのプレイショップには、当時9歳の知的障害のある女の子と、車椅子の男性が参加していたことです。募集要項のどこにも「ハンディのある方もどうぞ」とは書いてない一方で、参加する側も受け入れる側も、当然のような顔をしています。さらに、ユニバーサル・デザインからほど遠い研修所で、参加者がいつの間にか自然に2人をサポートしています。車椅子の男性のためには、キャスター付きの事務用椅子がファシリテーション用に用意されていました。その2人はそれぞれのところに帰ると、**ケアされる人**ではなく、**コミュニティ・リーダー**として、健常者をひっぱっていく役割を担っていくのです。いまにして思えば、それがドラムサークルの核である、「**みんなちがって当たり前、すべての人が大切、それがコミュニティ**」という概念を象徴していたように思えます。

　もう1つの衝撃は、ドラムをたたき、共に過ごした、たった3日前には他人だった人たちと離ればなれになることが、尋常ではないほどつらく感じられたことです。プレイショップ後、ある参加者にモーテルまで送ってもらい、ふと1人になった時に、突然とても心もとない感覚にとらわれたのです。初めての感覚でした。プレイショップでは、みんなに守られ、自分という存在が丸ごと受け入れられていた……。それが、そこを一歩出ると、裸で危険な場所に立っているような感じすらしました。傷ついたり理解されなかったという思いが、世界に充満しているのをひしひしと感じたのです。その時になって初めて、現代社会の人間というものは、麻痺して感じなくなってはいるものの、相当異常な状態で暮らしているのだと、気がつきました。プレイショップの間は、感覚がそれほど研ぎすまされて、また、心と心が深く結びついていたのでしょう。ドラムサークルの力をまざまざと見せつけられた瞬間でした。

　人間本来の絆が復活し、自分自身や互いを受け入れ大切にし、全員が安心して能力を発揮でき、集団がうまく機能することによって単なる個人の集まりよりもさらに大きなものを生み出せるようにする……**ドラムサークル**には、その力があるのです。

　1960年代ごろ、現代社会にマッチした形としてアメリカで始められたドラムサークルが世界に広がるようになり、日本国内でもあちこちで開催されるようになりました。観客のいない全員参加型で、本人たちが楽しむことを目的とした新しい演奏形態は、**レクリエーショナル・ドラミング**とも呼ばれています。その1つの手法が**ドラムサークル**ですが、打楽器奏者、打楽器愛好家音楽療法士、教育・福祉関係者、心理・医学関係者、その他さまざまな人がファシリテーターをつとめたり参加をしたりするようになりました。また、ドラムサークルのスキルや基本概念には、一般のファシリテーション技術やコーチング、さらには自己啓発につながる要素が多いため、そうした他分野の参考として、ドラムサークル・ファシリテーションを学ぶ方もいます。

---

*1　アーサー・ハルによるVillage Music Circlesトレーニングを指し、商標登録されている
*2　『ドラミング　リズムで癒す心とからだ』（音楽之友社）

ドラムサークル以外のどの分野とも共通することですが、**何をするか？**（What?）や「どうすればこのファシリテーションがうまくいくか？」という表面的なことに意識が向けられがちとなり、肝心の**いつ？**（When?）と**なぜそれをするか、しないか？**（Why?）がおろそかになることも少なくありません（しないことも大切です！）。参加者から見ると、サークルの真ん中にファシリテーターが出てきて、何か行っているように見える部分を、**アーサリアン**（アーサー・ハル式）では[*1]**セグメント**または[*2]**シークエンス**と呼んでいます。ファシリテーションとは、ファシリテーターが**何もしていない**、または**一緒に演奏して楽しんでいるだけに見える時間帯**も含めて、全体の流れを読み、創っていく**プロセス**のことです。むしろ、何もしていないように見える時間にたくさんのことを行っているのが、よいドラムサークル・ファシリテーターだと言えます。個々のシークエンス（What?）は単なる断片であって、それに目的（When? と Why?）が欠けていれば、意味がないのです。

そうした断片つまり**何を？**（What?）は、きちんとトレーニングを受けて練習を積んでいけば、できて当たり前の基礎の部分です。その上で**いつ？**（When?）と**なぜ？**（Why?）を考えられるようになってはじめて、[*3]**エンパワーメント**型のドラムサークルができるようになります。ドラムサークル・ファシリテーションは、見よう見まねで形式的に行うことも不可能ではありません。それでも、初めて打楽器に触れた参加者は、ある程度喜びます。しかし、そのようなドラムサークルではむしろ、[*4]**ディスパワー**してしまい、本末転倒な結果にもなりかねません。そのために、まずはエンパワーメント型ドラムサークルの理論をあまさず学べるアーサーのトレーニングを受講されることをお勧めします。

本書は、いろいろなことを整理して列挙したノウハウ本ではありません。なぜならば、表面的なことがらに注意が奪われ、底流を流れる大きなもの、つまり**ドラムサークル・スピリット**が、むしろ失われてしまうからです。ファシリテーション技術そのものについては、私の師である**ドラムサークルの父　アーサー・ハル**の著書やトレーニングで詳しく解説されていますので、本書では重複を避けるため、Section 1では**ドラムサークルにまつわる概念の再定義**、Section 2では、表面的に解釈してしまうと正反対の意味合いをもってしまいがちな、**ドラムサークル・ファシリテーションの本質**と**ファシリテーターの「在り方」**、そしてSection 3ではワークショップ形式で、**リズム・ゲーム**を収めてあります。

私にとってドラムサークル・ファシリテーターであることは、**成長しつづける**ことです。そのためには、それを実際に「生きる」「感じる」「学ぶ」ことが必要となってきますが、本書で述べていることは抽象的ですぐには理解しづらい点もあるかもしれません。本書は、**成長しつづける存在**である私自身が、**現時点で理解したこと**を著しています。ドラムサークル・ファシリテーターのいちばん大切な役割の1つは、参加者の存在をそのまま受け入れ、本人も自覚していなかった最大の能力を引き出すことです。そのためには、ファシリテーター自身が、ありのままの自分でいる、ということが基本となるはずです。ですから、**現時点の私の理解**を著すこと自体が、ドラムサークル・ファシリテーターとしての**在り方・態度**である、と理解していただけましたら幸いです。

本書では、ドラムサークル・スピリットの根幹をよりよく知っていただくために、私が[*5]**アーサリアン・ドラムサークル**を行い、ドラムサークル以外の学びや交流の中で理解したこと、そして国内外のアーサーの生徒たちと

*1 厳密に言えば、ファシリテーターがサークルに入っている時間帯はアーサリアン用語では「セグメント」または「シークエンス」と呼んでいる。ドラムサークルの最初から最後までの一連の流れがファシリテーションだが、この2つが混同される場合も多い
*2 セグメント＆シークエンス：個々のファシリテーション部分をセグメント、その一連のつながり、つまりファシリテーターがサークルに入って出るまでの時間帯をシークエンスと呼んでいる
*3 元来は、ブラジルの教育思想家、パウロ・フィレイレが提唱し、先住民運動・女性運動などの市民活動において使われるようになった用語で、個人や集団が自らの生活を統御可能なものであると認識した上で、力をつけ自立するよう促すという概念。著者はドラムサークルにおけるエンパワーメントを「本来持っていた能力を自覚し、発揮できるよう促すこと」と提議している
*4 ディスパワー／ディスパワーメント：「エンパワー／エンパワーメント」の反意語。その人の力が奪われ、いつまでも自立できない状態を指す
*5 「アーサー・ハル式」の意。アーサー・ハルが提唱するエンパワーメント型ドラムサークルの手法・概念を指す

の対話や交流の中で明らかになった内容を綴っています。また、アーサー・ハルのトレーニングを受講された方の内容確認や復習、そしてトレーニングという限られた時間内ではなかなか理解しづらいことも解説しています。

広がりつつあるとはいえ、未だ**よちよち歩き**の国内のドラムサークル運動の大きなサポーターであり、本書の発行を快諾してくださったエー・ティー・エヌの小林小百合氏に、心からお礼を申し上げます。また、音楽評論家・作詞家の湯川れい子氏、日本打楽器協会、中尾貿易（株）岩崎氏、日本ストレスマネジメント協会、日本フレームドラム協会、祭頭山慧光寺、ジャパン・パーカッション・センター、（株）ホスコ　細川氏、ヤマハ・ミュージック・トレーディング（株）山内氏、（有）バロックミュージック　千葉氏、Sumbara Banana の諸団体の皆さま方には、つねに暖かいご支援をいただき感謝いたします。私の師であるアーサー・ハルは、何十年もの経験と試行錯誤を体系的な技術にまとめ、世界中を飛び回り、**リズムを通じたよりよい世界づくり**を目指しています。彼の膨大な努力と情熱には、つねに刺激を与えられています。深く感謝しています。また、海外のプレイショップ他で定期的に会うアーサーの弟子である先輩ファシリテーターたち、かけがえのない仲間たちにも感謝します。最後に、日本でアーサーと共に学んでいるファシリテーターの皆さん、そしてドラムサークル参加者のすべての皆さんが、私を育ててくれていると言っても過言ではありません。心からお礼を申し上げます。

本書を布石として、読者の方がドラムサークルをより深く理解し、自分なりの解釈や成長を重ねて、リズムやドラミングを通じて人々の心の架け橋となり、同時にご自身の成長を楽しまれることを、願ってやみません。

佐々木　薫

著者について

DRUMAGIK／ドラムサークル研究会主催、ドラムサークル・ファシリテーター／プロモーター／トレーナー、ワークショップ講師。アーサー・ハルのアドバンス研修（メンタートレーニング）アジア唯一の修了生、DCFG第1回認定プロフェッショナル・ファシリテーター、アーサー・ハルVMC公認ファシリテーター。日本打楽器協会、日本ファシリテーション協会、国際ドラムサークル・ファシリテーター協会（DCFG）会員。NLPプラクティショナー・コース修了。

平成15年度八王子市市民企画事業助成、また、平成19年度には個人助成を受け 福祉・教育スタッフ・職員、介護・療育家族を持つ方、子育て中の親などを対象とする「ケアする人のケア・ドラムサークル」を各地で提案・無料提供。第4回日本音楽療法学会学術大会「高齢者の即興領域」で「ドラムサークルの身体的・心理的・社会的影響」発表を行う。

愛・地球博万博協会公式行事「アースデイ万博」、スペシャル・オリンピクス（知的障害者のオリンピック）冬期国際大会・長野、世界音楽療法連盟会長スザンヌ・ハンザー博士来日記念講演会、女性のエンパワーメント・サークル（シリーズで開催）、第1回世界パーキンソン会議（米国・ワシントンDC）、REMOレクリエーション・センター定期ドラムサークル（米国・ロサンジェルス）、鼓童アース・セレブレーション・フェスティバル、アースデイ、アースガーデン、ムジカコスモ、Fuji Rock Festival 2007（会として）、各種企業研修他でドラムサークルを行い、第2回国際ドラムサークル・カンファレンス（米国・マートルビーチ）でセッション講師を担当。

訳書・監修書に『ドラム・マジック リズム宇宙への旅』（ミッキー・ハート著、工作舎）、『ドラミング リズムで癒す心とからだ』（ロバート・L・ローレンス著、音楽之友社）、『ドラムサークル・スピリット』（アーサー・ハル著、ATN）、『トゥギャザー・イン・リズム』（カラニ著、ATN）他多数。ジャパン・パーカッション・センター発行『JPC』に2007年4月号（No.112）より連載「リズムで心をつなぐ－ドラムサークル」執筆中。

エンパワーメント・ドラムサークルの出版に寄せて

「教えている」とわからないような方法で、リズムや音楽を創り出すことをドラムサークル参加者に教える（つまりエンパワーする）… 参加者が自分自身をファシリテートしながら音楽づくりできるよう促す… グループ・ドラミングを通じてコミュニティを形成する… 参加者が自らの最高の音楽的・精神的レベルに到達するよう手助けする… 参加者が「努力を必要とせずに」参加し、互いとつながり合い、協力し、共にドラムをたたき、楽しめるようにする。

以上のような要素はすべて、どんな人でも気軽に参加できるコミュニティ・ドラムサークルのファシリテーターに要求されるものです。これらすべてができている時、その人は**マスター・ドラムサークル・ファシリテーター**であると言えるでしょう。

私は、佐々木薫さんのドラムサークルを見ていると、上のすべて、それにプラスアルファのファシリテーションを行っていると感じます。薫さんは、私のドラムサークル・ファシリテーター・トレーニングに、初めて海外からアメリカへと渡り参加した人として、皆を驚かせました。それ以来、私が教えるドラムサークルを体現する世界で最高の例の1人として活躍しています。

薫さんは年に1～2回、自らが運営する団体DRUMAGIK／ドラムサークル研究会を通じて私を日本へと招き、*1Village Music Circles® ファシリテーター養成研修を主催しています。そして、私の日本全国のツアーをオーガナイズして、地方のドラムサークル・コミュニティを育てる手助けもしてくれています。

また、私の日本訪問の間には、数知れないドラム・イベント、合宿、DCファシリテーター養成セッションなどを企画しています。こうしたプレイショップ修了者のアフターケアや国内のドラムサークル・コミュニティ強化のための活動は、日本以外ではほとんど見当たりません。こうした彼女の絶え間ない努力により、日本のアーサリアン・ファシリテーターたちは、一堂に介し、ネットワーキングを行い、ファシリテーション・スキルを磨く機会を与えられているのです。

日本におけるドラムサークル・ムーブメントの先導役または*2メンターとして日本のレクリエーショナル・ドラミング・コミュニティを支え導いていく、こうした彼女の献身的な態度を知るにつけ、薫さんはまさに私の提唱する**ドラムサークル・スピリット**を体現したシニア・ファシリテーター・トレーナーであると感じます。

その証として薫さんは、すでに世界的な以下の資格の認定を受けています。

- Village Music Circles トレーニングでのアジア唯一のメンター

- Village Music Circles アジア唯一の公認ファシリテーター

- 国際ドラムサークル・ファシリテーター協会（DCFG）世界最初の認定プロフェッショナル・ファシリテーター

---

*1：アーサー・ハルの主催する団体。VMC

*2：先輩またはその分野に詳しい人という立場で、指示や命令によらず、対話による気づきと助言や行動により本人の自発的・自律的な発達を促す人

私は「**ドラムサークルの父**」と呼ばれており、長年の経験から得た知識や技術を世界中で教えています。そんな私が何度となく日本を訪れても、日本の精神性や文化はけっしてすべてを理解することのできない**ミステリアスな花**でありつづけます。薫さんが言語を超えた**翻訳**をしてくれてこそ、私が日本をより深く理解し、日本に向いたドラムサークルを根付かせるプロセスが可能となっているのです。

アーサリアン・ドラムサークルに参加した人が目にするものは、ごく表面的な部分にすぎません。その外見とは異なり、背後には非常に深い概念や技術が存在しています。彼女は私の世界中の生徒の中でも、それを最も理解している人々のひとりです。ですから、私の視点・テクニック・哲学を、日本に合ったものとして再解釈し伝えるには、彼女以上の人はいないと信じています。

佐々木薫さんのドラムサークルに関する知識とスピリットを具現化した本書の出版に、心からお祝いを申し上げます。

それと同時に、本書は皆さまの役に立つ1冊だと信じています。

あなたのスピリットを分かち合おう！

アーサー・ハル
Arthur Hull

アーサー・ハルと著者

Section 1

第1章　ドラムサークル

ドラムサークルとは何でしょうか？　世界中で[*1]レクリエーショナル・ドラミングが普及しつつある今日、その定義は人によってさまざまでしょう。

現在、大別すると、ドラムサークルと呼ばれるものには、以下のような種類があると考えられます。

I.　特定文化（西アフリカ、コンガ等が多く見られる）ドラムサークル：それぞれの文化の音楽の形式やルールにのっとった方法で行われる。参加にはその音楽ジャンルの知識が必要とされる場合が多い

II.　フリースタイル・ドラムサークル：フリードラミング、ヒッピー・ドラムサークル、サンダードラム・ドラムサークル、ジャム・セッション等、さまざまな名称で呼ばれるが、ルールやファシリテーターがおらず、すべて自由な雰囲気で行われる

III.　ファシリテーテッド・ドラムサークル：ファシリテーターが案内役をつとめるドラムサークル。たんに「ドラムサークル」と呼ばれることも多い

どのような形式であろうと、人が集まってドラミングを行えば、それは広義でのドラムサークルだと言えます。また、古今東西、人類はさまざまな文化の中で集い、輪になり、音楽演奏、歌、踊り、物語を通じて、コミュニティの中のバランスを健全なものに保ち結束力を強めてきました。[*2]近年世界中（おもに先進国）で一般的に「ドラムサークル」と呼ばれるものは III を指すようになってきています。ですので、本書では III を**ドラムサークル**であるとして稿を進めていきます。

アーサー・ハルの説明によると、I および伝統にのっとったタイプのドラミング形体では技術と知識、ルール、そしてその特定文化への敬意が重んじられ、上級者以外には表現の自由はあまり与えられません。当然そのためにはたくさんの練習が必要となるでしょう。ところが、一見自由に見える反面、厳密なルールがあり高いスキルが要求されるため、自己表現の余地が少ない。一方、II では、心のままに自己表現しているものの、スキルの低いことが多いため、演奏が空中分解してしまったり、うまく終わることができなかったり、後味の悪い結果になることも少なくない。その両極のちょうど真ん中にあるのが III のファシリテーテッド・ドラムサークル、とされています。ファシリテーテッド・ドラムサークルでは、**演奏のスキルが要求されず**、しかも**演奏に成功**することができます。そして、個々の参加者は**自分らしい表現**を行い、しかも**全体が1つのグループ**、**または有機体として機能する**、つまり音楽的には演奏をうまく行うことができる、というのです。ですから、ファシリテーテッド・ドラムサークルは、この両極の良い点を兼ね備えた新しい形のグループ・ドラミングだと言えます。

もう1つ言及すべき点は、**即興性**です。ご存知の通り、III のドラムサークルでは即興演奏が行われます。II でも、同じような特徴があります。I では、すべての場合とは言えませんが、意外とルールが多いために、マスター・ドラマーになりソロ演奏を行わない限り、即興の出番のない場合も少なくないでしょう。

*1 練習して観客の前で演奏することを目的としたものではなく、演奏そのものを楽しむドラミングの形式。通常観客を伴わない

*2 現在、一般的にドラムサークルと呼ばれるものは、ナイジェリア出身の故ババトゥンデ・オラトゥンジからアーサー・ハルに引き継がれ、改良を加えられてきたものが主流となっている。したがって、その歴史は40年程度で、比較的新しいものである

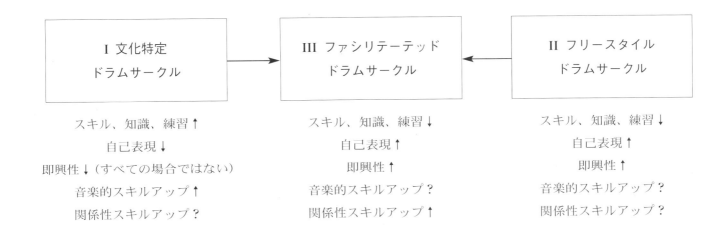

| I 文化特定
ドラムサークル | → | III ファシリテーテッド
ドラムサークル | ← | II フリースタイル
ドラムサークル |

スキル、知識、練習↑　　　　　　スキル、知識、練習↓　　　　　　スキル、知識、練習↓

自己表現↓　　　　　　　　　　　自己表現↑　　　　　　　　　　　自己表現↑

即興性↓（すべての場合ではない）　即興性↑　　　　　　　　　　　即興性↑

音楽的スキルアップ↑　　　　　　音楽的スキルアップ？　　　　　　音楽的スキルアップ？

関係性スキルアップ？　　　　　　関係性スキルアップ↑　　　　　　関係性スキルアップ？

アーサー・ハルによる定義

アーサー・ハル

「ドラムサークルは、楽しいパーカッション・ジャムであり、さまざまな音楽レベル、年齢、民族性の人が参加する。ドラムサークルには音楽経験が必要とされないため、一般的にレクリエーショナル・ミュージック・メイキングへの入り口となる。

音楽全般、とくにパーカッション音楽は、共通意識を感じながら生きていることを喜び合う感覚に人々を導き、心をひとつにする。参加者は演奏が始まるとすぐに、ことばや社会的・経済的地位、年齢、音楽スキルなど、**人々を分け隔てている要素から解放される**。こうした**精神的制約が、音楽的表現における成功体験にとってかわるのが**、ドラムサークルである。

（ファシリテートの定義は「**簡単にする」**というものだ。ファシリテーテッド・ドラムサークルの参加者はグループの中でリズムを演奏し、ファシリテーターは**必要とされた時**にグループの方向性のガイド役をつとめる。参加者は、ファシリテーターは自分たちの音楽的レベルの能力の可能性の最高値までガイドしてくれるということを、ことばにして、もしくは言わずもがなに**合意**している。この協力により、アドバンスの参加者もビギナーも楽しく一緒に演奏することが可能になる。参加者は複雑なルールを追うのではなく、好きに演奏してよいという、この上ない自由を体験する。）

（中略）

ドラムサークルでは、各々の参加者が全体によって等しく大切にされる。誰もが演奏のパートを受けもつが、**どのパートも他のパート同様に大事**である。

近代のファシリテーテッド・ドラムサークルは、人々が分断された近代社会に対する処方箋として機能する。ドラムサークルが人々を1つにするパワーは、**個人にとってもコミュニティにとっても、健全さと幸福というゴールをもたらしてくれる特効薬**となる。」

（アーサー・ハル著、Drum Circle Facilitation より抜粋訳）

*1DCFGによる定義

「ドラムサークルは，美しく自発的な音楽を創り出す能力をもった参加者グループのエンパワーメントのために，多様なハンド・ドラムとパーカッションを使って行うリズム・ベースド・イベントである。グループの一員として協力の上ドラミングやリズムを基調とした音楽づくりを行うことは，個々の音楽的経験や能力にかかわらず，全員参加型の体感的な活動となる。

ドラムサークルは創造的な自己表現という共通の目的により人々を結びつけ，参加者個々人にメリットをもたらす。ドラムサークルは，コミュニティ・グループ，企業および組織，サポート・グループ，こども，問題を抱える青少年，各種高齢者，教師，宗教グループ，大学生グループ他，さまざまなグループで頻繁に利用されている。どのグループも，ドラムサークルは喜び，自己表現，チームビルディング，ストレス軽減，コミュニケーションによい環境を創り出すという感想を述べている」

（DCFG HPより抜粋訳）

ワシントンDCで毎月行われるRumble Club光景

ドラムサークル・カンファレンスでファシリテートするDCFG理事デイブ・ホーランド

DRUMAGIKによる定義

ドラムサークルはたいへん有機的で奥深いものなので，すべてを網羅した定義を行うことは，簡単ではありません。また，日本ではドラムサークルという概念がまだ新しく，「サークル」を軽音楽サークルやテニス・サークルのように「同好会」と解釈する人もいますし，ワークショップ（全員参加）形式ではなく演奏を聴かせてもらえる，または打楽器の演奏法を教えてもらえると期待する人も少なくありません。そこで私は，一般的にいちばんわかりやすい定義として，下のような平易な説明をして，状況に応じて適宜ていねいに説明するようにしています。

「ドラムサークルは，世界中の打楽器（*2タイコやマラカスなど）を使って即興演奏を行う，観客のいない全参加型・体験型の新しいコミュニケーションの時間。ファシリテーターというガイド役がご案内しますので，楽器経験，年齢，障がいの有無，文化国籍等にかかわらず，どなたでもその場で，安心してご参加いただけます」

しかしながら，これは本当に最小限の定義に過ぎません。ドラムサークルでは，楽器を演奏しているのではありません。参加者が**お話**しているのです。中には，言葉にならないもどかしい気持ちを話している方もいるかもしれません。引っ込み思案でひそやかに話している方や，逆に日頃の怒りや自分のエネルギーの楽しい爆発を話している方もいるかもしれません。そうした互いのお話をうまく聴くこと，そしてその人を受け入れ，認め，励まし，あいづちを打ったり自分の答えを言って会話のキャッチボールをすることが，ドラムサークルの本質です。ドラムサークルの中心は，楽器やリズムや演奏の出来・不出来ではなく，人間そのものなのです。しかも，**全員が一斉にお話している**という，特殊な状況下で一定の時間が共有されます。

*1 DCFG（Drum Circle Facilitators Guild）：米国ワシントンD.C.に本拠地を置く国際組織。Guildではあるが，国際的協会としての機能しているため，国際ドラムサークル・ファシリテーター協会と訳している。http://www.dcfg.net

*2 日本では「ドラム」と表記すると「ドラムセット」を，「太鼓」と表記すると「和太鼓」と解釈する方が多いため，本書では「タイコ」とカタカナ表記にしている

目 的

ドラムサークルのもっともすばらしい点は、さまざまな目的のために行えるところです。その点では、ドラムサークルはたんなる**ツールに過ぎない**、と私は考えています。つまり、ドラムサークル自体が**目的ではない**のです。定規や鉛筆があっても、何を描きたいかがわからないと、描くことはできません。それと同じで、ドラムサークルや楽器そのものは**定規や鉛筆**ドラムサークルを行う目的が**描かれたもの**というわけです。

ドラムサークルは、大別すると以下のような目的で行われます。

1．コミュニティづくり

2．エンターテイメント

3．教育（自己表現、創造性他、文化教育、ダイバーシティー）

4．[*1]療法・ヒーリング

5．自己啓発

6．[*2]企業・組織の研修等

もう少し具体的には、下記のような目的またはアウトカムが考えられます。

1．コミュニティづくり、チームビルディング、一体感

2．アイスブレーキング

3．楽しみ、エンターテイメント

4．ストレス発散、リラグゼーション、自己解放

5．自己発見、自己受容、自己承認、自己開示

6．[*3]エンパワーメント

7．身体的・心理的・社会環境的刺激

8．成功体験を得る

9．コミュニケーション・スキル向上

10．リーダーシップ・スキル向上

写真提供：原 房子

その他にも、考えてみましょう！ ドラムサークルがツールに過ぎないことを原点と考えれば、いろいろなアイディアが出てくるはずです。

*1 専門の勉強や資格が必要となる
*2 専門の勉強や資格が必要となる
*3 もともとその人の中にあった力に気がつかせること、また、それを引き出し、利用できるようにすること

対象者

ドラムサークルの形式は、対象者と状況により、2つの場合があります。

　1．オープン形式：フェスティバル、イベント等で、その場に居合わせた人が自由に参加する

　2．クローズド形式：一定の集団のみが参加する。一定の目的をもつ場合が多い

また、個々の参加者の参加時間の長さで、次のような分類もできます。

　1．通過型：フェスティバル、イベント等で、途中から参加したり途中で席を立つ人がいる場合がある

　2．固定型：全員が最初から最後まで参加する

この、通過型か固定型か、により、ドラムサークルのファシリテーションと全体の流れの作り方はまったく異なってきます。詳しいことを知りたい方は、アーサー・ハルのファシリテーター研修（プレイショップ）に参加してください。

これらのことをふまえた上で、ドラムサークルはどのような対象者や形式で行われるかを、以下に示します。

　1．フェスティバル、イベント、コンサート等

フェスティバル

愛知万博公式行事「アースデイ万博」

　2．教育分野：保育園、幼稚園、学校、大学、各種グループ等

学校

児童館春休みイベント

*3．福祉分野：障がい者関連、高齢者関連、女性問題関連、こども問題関連等

知的障害者作業所のイベント

4．心理・医療・音楽療法分野

国際ストレスマネジメント協会日本支部(ISMAJ)フォーラムで、プレゼンター全員でのパネル・ディスカッション。ISMAJ会長・精神科医の丸野廣先生、音楽療法士の松井紀和先生たちと

5．研修分野

企業研修

カナダの新聞表紙。海外ではビジネス分野でもドラムサークルがさかんに利用されている

＊3．および4．の事例は佐々木薫訳『ドラミング リズムで癒す心とからだ』(音楽之友社)参照

6．その他

神社の大祭。神主さんもいっしょに

お通夜

ライオンズクラブの勉強会

ネイチャー・イベント

以上の同じ分野・対象者であっても、目的はさまざまとなりますので、注意して事前ヒアリングと打ち合わせを行いましょう。

ルール

矛盾するように聞こえるかもしれませんが、ドラムサークルの第一のルールは（とくに参加者にとって）「**ルールがない**」ことです！「ルールがない」と一口に言っても、そこにはさまざまな意味が隠されています。

まず、ドラムサークルは即興演奏ですので、音楽がどこに向かうかはわかりません。つまり、ゴールがわからないのです。ファシリテーターがあらかじめ音楽的ゴールを設定して、そこに向かうようにしむけた場合、それはいわゆる「レッスン」または「ファシリテーターのためのドラムサークル」となってしまいます。ドラムサークルは元来、参加者のもの。この点は、次章**ファシリテーター**で詳しく述べます。

また、参加者に、やってはいけないことはありません。自由にしてよいのです。何もしなくてもかまいません。それも立派な自己表現です。よく、ドラムサークル前にタイコを持って来て、「*始める前に、どうたたけばいいか教えてください*」と聞く方がいます。とくに日本で多いのは、「*自由に、と言われても、その意味がわからない*」という方です！もちろん、そういう方に主旨を理解してもらい、リラックスして自分らしく参加できる**場作り**できるかどうかはファシリテーターの力量次第です。しかも、それを*Teaching without teaching（第4章参照）で伝えられるファシリテーターが望ましいと考えられています。

やっていけないことはないとは言え、少なくともドラムサークル中の危険は避けなければなりませんので、簡単にタイコのたたき方をご紹介する場合もあります。ただ、その程度がたいへん微妙で、ともすればレッスンとなってしまいがちです。日本人はとくに「習い好き」な民族性があるので、さじ加減ひとつで、ドラムサークルではもっとも避けたい「できる、できない」「上手、下手」という、ファシリテーターと参加者、参加者同士の2つのレベルで**格差**が生じたりします。また、習ったたたき方やリズムにとらわれて**自由な表現の妨げ**となってしまう場合がありますので、注意が必要です。

では、参加者にとって、他にはどんなルールがあるでしょうか？

1. 楽しむこと！

2. 他の人の音を聴くこと

3. 互いを尊重すること

4. 協力の方法を模索すること

5. 自分自身でいること

それだけです！しかし、簡単そうに見えて、じつは上のような点をTeaching without teachingで伝えるのは、簡単なことではありません。しっかりと勉強して、その上で体験を積んでいきましょう。

---

*Teaching without teaching：「**教えずして教える**」アーサリアン・ドラムサークルの基本的概念のひとつ

さまざまな形のドラムサークル

現在のところ、日本で行われるドラムサークルのほとんどは、「一定時間（通常30〜120分程度）、座ってドラムやパーカッションをたたきつづける」という形式で行われています。「ドラムサークル」と聞くと、どうしても輪になってドラムをたたいている、というイメージがあるので、それが定着したのでしょう。しかし、状況によっては、そうでない方法もあるのです。ドラムサークル・ファシリテーターは、**柔軟性**と**瞬発力**を要求される立場にあります。そして、主催者のある場合は入念な打ち合わせと、準備が必要となります。

長時間ドラムやパーカッションをたたきつづけるのは、**コミュニティ・ドラムサークル**の方式で、参加者はコミュニティ・ドラムサークルに参加するという意識で集まります。イベントやフェスティバルで行われる場合も、通過型の割合が多いこともありますが、この部類に入るでしょう。こども、障害者、高齢者等のSpecial Populationと呼ばれる対象者のドラムサークルは、通常もっと短時間ですし、ゲームやアクティビティをまじえて行うこともできます。私が多くの欧米のファシリテーターをリサーチしたところ、例えば、こどもサークルの場合は、もし時間枠が45〜60分あったとしても、いわゆるドラムサークル部分は15分程度だというのが、平均的な答えでした。

会場が大きい場合は、[*1]会場の一角にサークルをセッティングし、何もないところでまずアクティビティを行い、移動してドラムサークル部分を行うこともできます。前半のアクティビティ部分は、いろいろな目的に使うことができます。

- ドラム他を使う前に、音量のさほど上がらない楽器やボディ・パーカッションを使い、ファシリテーターの役割やドラムサークルの意味、参加者は何に注意すればよいのか、ルールについて等を、Teaching without teachingで教える

- どうしても知り合い同士でかたまりがちな人たちを、安心な形でばらばらに位置替えしてもらうために、ゲーム等を行う

- ブームワッカー等のセットになった楽器をスムーズに配る準備として、リズムを使ったグループ分けゲームを行う

- その集団のリズム的（他者との関係性の在り方を含む）能力を観察する

- アイスブレーキング

また、同じ対象者であっても、特別の目的を依頼された場合は、それに準じた結果を出すために、ゲームやアクティビティを入れたプログラムを準備したり、状況から判断して急遽それらを入れたりすることがあります。ドラムサークル中の[*2]**ウィンドウ・オブ・コミュニケーション**も、重要ポイントとなります。

[*1] 広さに余裕のある会場で、音の偏りのある場合は、あらかじめ反響具合をチェックして、もっともDCに適した位置にサークルを作る。「サークルに適した」とは、「反響のいいところ」ではなく、「なるべく多くの参加者が互いの音をキャッチできる場所」を指す。ドラムサークルに必要な音の特性等については、アーサー・ハルのRhythmical Alchemy Playshop（リズムや体を使ったゲームや音の気づきを促すアクティビティの研修）で学ぶことができる

[*2] ドラムサークル内でファシリテーターが話す部分を指すアーサリアン用語。それぞれのイベントによって最大の気づき・学び・意味合いが得られるようなメタファーの形で話すこともある。第4章アーサリアンの基本概念参照

日本フレームドラム協会のフレーム・ドラム・サークル

著者が提案・提供している「ケアする人のケア」ドラムサークルで、アイスブレーカーとしてゲームを行う

また、時間が極端に短い、セッティングおよび撤去の時間が限られている、椅子が用意できない、会場に円形にセッティングできない、ステージがある、などの物理的な状況により、通常とは異なる形式で行う場合が考えられます。

椅子が用意できない場合や転換の時間が少ない場合、楽器編成を変える

知的障害児と。畳の部屋で行われたため、いつもと違う楽器を使ったり、ゲームを入れたりした

鼓童アース・セレブレーション・フェスティバル。1日数回ドラムサークルを行うこと、会場の移動があること、椅子がないことから、ブームワッカーを使用

ホールでのドラムサークル。楽器を配る時間が限られている。ドラムサークル後の楽器回収が難しい場合は、スタッフが客席前の数列の人に楽器を配布し、後はボディ・パーカッションの場合もある

第2章　ファシリテーター

本書の読者の多くは、音楽的な興味をもたれているかと思いますので、**ファシリテーター**というと、すぐにドラムサークルのことが頭に浮かぶことでしょう。しかし、現在日本でも、コミュニティやNPO、組織運営、会議進行などにおいて、広義の意味でのファシリテーターの概念が普及しているところであり、ドラムサークルのファシリテーターは、厳密に言えば**ドラムサークル・ファシリテーター**と言うべきものです。しかし、本書ではたんにファシリテーターと呼んでいます。また、他の呼び方としては、省略して「DCファシリテーター」または「DCF」、海外では「dcf-er」と表記する場合も増えています。

アーサーによる定義

「ドラムサークル・ファシリテーターは、人々が輪になって楽器演奏を行っている時に、ガイド役をつとめる。よいファシリテーターはスキルの高いホスト役であり、すべての参加者が**できるだけ簡単に楽しく参加できるよう**にする、**創造性と感受性**を兼ね備えたリーダーである。

ファシリテーターは上級ドラマーである必要はないが、ある程度のリズム感と演奏スキルをもっていなければならない。ファシリテーターはイベントを通して、楽しく参加を促す[*1]シークエンスを駆使して、**グループの意識の変容を助け、参加者の意識を個人からグループへと変化させる**。ファシリテーターの役割は、サークルのために役に立ち、グループの音楽レベルの可能性の極限まで参加者をリードすることである。

スキルのあるファシリテーターは、すべての音楽レベル、年齢、民族性の人々が同等の立場で加できる雰囲気を創り出し、**誰もが安心して快適に**参加できるようにする。また、**音楽的成功**をファシリテートすることによって、サークルが自らの音を聴き、同調することを教えていく。

すばらしいファシリテーターになるとさらに、個人がサークル全体と分ち合っているその人にしかない才能を[*2]ショーケースする。また、参加者の『イエス！私にもできますよ』『この音は好きだ』『ワオ！ボクはこのリズムにほんとうに役に立ってるんだね！』というような気持ちを理解し、それを奨励する」

（アーサー・ハル著、Drum Circle Facilitation より抜粋訳）

Village Music Circlesシニア・ファシリテーター、
キャメロン・タメルとアーサー・ハル

---

*1 シークエンス：ファシリテーターがサークルの中に入り、出て行くまでの一連のインターベンション（介入）を指す

*2 ショーケース：スカルプト（一部の参加者だけに演奏をつづけてもらい、他の参加者の演奏をストップすることを指すアーサリアン用語）により、個人または複数をフィーチャーすること

DCFGの定義

「ドラムサークル・ファシリテーターは、この**インタラクティヴ**な音楽創りの体験を参加者にとって**簡単にする**役割を担う。ファシリテーターは安心できる楽しい雰囲気によって参加者グループを**エンパワー**し、テクニックによって能力を高め、楽しさで参加を促しながら、コミュニティのための表現の場を創り出す。訓練を受けたプロフェッショナル・ファシリテーターは、グループ全体が曲作りを始めるためには、各人のエンパワーメントが必要であることを認識している。ドラムサークル・ファシリテーターは、グループに奉仕し、個人がさらに可能性を発揮する手助けを行い、喜びを分ち合い、相互依存に基づいたグループ・ダイナミクスに従って反応する。ファシリテーターは参加者との間に[*1]ラポールを築き、さまざまなスキルを駆使してそのグループがさまざまな曲創りをできるよう助ける」

（DCFG　HPより抜粋訳）

トレーニングとトレーナー

ドラムサークル・ファシリテーションは比較的新しい概念で、ファシリテーションを学べる場は、まだ世界に多くはありません。その代表は、ドラムサークル・ファシリテーションの基礎を築いたアーサー・ハルのトレーニング（[*2]**ファシリテーターズ・プレイショップ**™と呼ばれている研修）でしょう。一見単純そうで、見よう見まねでできるように見えるドラムサークル・ファシリテーションですが、アーサーは40年近い体験をもとに、非常に系統立った理論とトレーニング方法を編み出しています。

第1回ジャパン・プレイショップ（2004年）。香港、オーストラリア、アメリカ、カナダからも参加があった

アーサーのファシリテーターズ・プレイショップは数段階に分かれています。アメリカ、ヨーロッパ、アジア各地で行われる3日間の[*3]**Basic Facilitator's Training**、ハワイで毎年夏に行われる1週間の **Hawaii Playshop**（Level 1 & Level 2）、Hawaii Playshopにさらに3日間を付け加えてメンターたちのトレーニングを行う**Hawaii Mentor Training**（Level 3）。Hawaii PlayshopとHawaii Mentor Trainingでは、メンターと呼ばれるアドバンス・ファシリテーターの他に、キャメロン・タメル、ジム・ボノー、メアリー・トレナ、シェイカーマン他の大ベテランたちが、メタ・メンターと呼ばれる、プログラム・コーディネーターやプレイショップの運営を行っています。Level 3では、ドラムサークルそのものよりもむしろ、研修や[*4]ファシリテーションの専門家たちから、おもにグループ・ファシリテーションと[*5]メンタリング、フィードバック・セッションのファシリテーションを学びます。

また、ファシリテーター・トレーニングを補足するものとして、[*6]Rhythmical Alchemy Playshop（RAP）や[*7]アドバンス・トレーニングなども行われています。

---

*1 相互を信頼し合い、安心して自由に振る舞ったり感情の交流を行える関係が成立している状態を指す心理学用語

*2 playshopという名称は、アーサー・ハルのVillage Music Circlesにより商標登録されている。体験型の学びの場であるworkshopの「work」を「play＝遊び、演奏」に変えた造語。

*3 日本でのアーサー・ハルのプレイショップは、DRUMAGK／ドラムサークル研究会で行っている。トレーニング情報はhttp://www.drumcircle.jp/trainings.html

*4 ここでは、ドラムサークル・ファシリテーションではなく、広義のファシリテーションを指す

*5 メンタリング：人の育成、指導方法の1つで、指示や命令によらず、メンター（Mentor）と呼ばれる指導者が、対話や行動による気づきと助言により本人の自発的・自律的な発達を促す方法

*6 リズムゲームや音に対する感性を伸ばすための研修。ファシリテーションそのもののトレーニングではないが、ファシリテーターにとっては非常にためになる内容となっている。

*7 Basic Facilitator's Training修了者対象のアドバンス研修。これまでに日本を含め数ヵ国で実施

日本では2004年以来、アーサーのファシリテーター・トレーニングとRAPを*6回行い、のべ約200名の方が参加されました。さらに、アメリカで行われるトレーニングにも参加する人もおり、最高で計10回ほどアーサー・ハルのプレイショップに参加している日本人ファシリテーターもいます。そうした先輩たちから情報を入手するのもよいでしょう。

2005年ハワイ・プレイショップのメンター（アドバンス受講者）たちが、参加者をお出迎え。右から3番めは著者

最近ではアーサーの生徒たちが主にアメリカでファシリテーター・トレーニングを行うようになってきました。主なトレーナーとして、クリスティーン・スティーヴンス、カラニ等が活躍しています。

日本では、おもにプレイショップ修了者を対象として、著者が主催するDRUMAGIK／ドラムサークル研究会で、インターミディエートのフォローアップ・セミナーや、各種アドバンス・ワークショップを行っています。また、一般の方も参加できるドラム・リトリート（合宿）の中で、ファシリテーターにも役立つプログラムを提供しています。

ドラム・リトリートで

DRUMAGIK／ドラムサークル研究会のアドバンス・ワークショップでは、スキルをブラシュ・アップしていく

ヴォイス、動き、シアター等もとり入れたアーサー・ハルのRAP研修

* 2008年8月時点

ドラムサークル・ファシリテーションは、見よう見まねでできると思う方も多いのですが、せっかく行うなら、より深いファシリテーションができたほうが、自分にとっても参加者にとっても意義深いものになります。ぜひトレーニングを受けることをお勧めします。

また、トレーニング以外にも、国際ドラムサークル・ファシリテーター協会（DCFG）主催の*1Drum Circle Facilitators' Conference、アメリカ各地での*2リズム・フェスティバル等ではファシリテーターたちが一堂に介して情報交換を行い、世界の1500人が参加している*3メーリング・リストでも常にいろいろな話題が話し合われています。

2007年度DC Facilitators' Conferenceの実行委員会。左からジョナサン・マリー（DCFG会長）、カラニ（TOCAエンドーサー）、ジョン・フィッツジェラルド（REMO）、テッド・オーウェン（音楽療法士）

2008年度 Seattle World Rhythm Festival。世界中から約50名のベテラン・ファシリテーターがかけつけた

Seattle World Rhythm Festivalでの、アーサー・ハルによる400名規模のドラムサークル

ユーモアは、アーサリアン・トレーニングの大切な要素となっている

*1 2007年カンファレンスでは、著者が「Whatではなく、When & Why」というセッションのプレゼンターをつとめた
*2 アメリカ各地で毎年行われるNAAMショー、Percussive Arts Society International Conference（PASIC）、シアトルのWorld Rhythm Festivalアメリカ音楽療法協会（AMTA）大会では、アーサーをはじめ代表的なファシリテーターたちによる大規模なドラムサークルやトレーニングが行われるため、多くのファシリテーターが集まる
*3 インターナショナル・ドラムサークル・メーリングリストへの入り方：DrumCircles-subscribe@yahoogroups.comへ、無題の空メールを出す（メールはすべて英語）

トレーニングの矛盾点

世界中にこうした優れたトレーニングがあるものの、多くのドラムサークル・ファシリテーター・トレーニングでは、どうしても**何を？**(What?)、**どう行うか？**(How?)を習っていると錯覚しがちです。ドラムサークルを始めた頃は、もちろんそうしたスキルをきちんと身につけて試行錯誤していくことが大切です。しかし、実際のドラムサークルでは、**いつ？**(When?)と**なぜ？**(Why?)、さらには「何をやらないか」「どうやらないか」が大きなポイントとなります。言い換えると、**ファシリテーターが何もやっていない時間帯も大事**、ということになります。

文章や会話にも**行間を読む**という表現がありますが、リズムに関わっていると、**たたいている瞬間**よりも、その間の**たたいていない時間**が大切だということが、徐々にわかってきます。

ドラムサークル・ファシリテーションは、ファシリテーターがサークルに入ってシークエンスを行っている**断片**ではなく、全体の**流れ**や**プロセス**を作っていく作業全体を指しています。流れやプロセスのないドラムサークルは、エンパワーメント・ドラムサークルとは言えませんし、ファシリテーターのためのドラムサークル、またはエンターテイメントのためのドラムサークルとなってしまう可能性が高くなります。また、その流れやプロセスは、ファシリテーターが勝手に作るのではなく、サークルの状況を[*1]**目・耳・体感**その他でしっかりと見極め、反応していくことが大切です。

ファシリテーターのTeaching without teachingにより、自立した集団となっていく参加者

アーサー・ハルの考えるドラムサークルでは、**最終的にファシリテーターを必要としない集団にすることが、ファシリテーターの役割である**とされています。矛盾するように聞こえるかもしれませんが、それが**エンパワーメントをもたらすドラムサークルの在り方**なのです。

そのためには、[*2]**GOOW**(サークルの外に出て、**参加者の邪魔をしない**)している時間帯に、ファシリテーターは何もしていないのではなく、じつは**その時間がもっとも何かしている**ということになります。GOOWについては、以下のような要素があります。

- いつGOOWするか？

- いつまでGOOWするか？（なぜサークルにふたたび入っていくか？）

- GOOWしている時のファシリテーターの**在り方**はどうあるべきか？

GOOWしている時間帯を含めて、全体の流れを作っていくのがファシリテーターの役割であり、サークルに入って奇抜、またはかっこいいシークエンスができるかどうかは、あまり重要ではありません。そのため、アーサー・ハルのトレーニングでは、ドラムサークルのどの時点でどれくらいの介入をしていくかについての緻密な解説がなされます。

*1 Copyright by Village Music Circles。アーサリアン・ファシリテーター・トレーニングの中心の1つである**トリプリシティ**の概念。アーサーの著書Drum Circle Facilitationとプレイショップ時のテキストに明記されている
*2 第4章　アーサリアンの基本概念（p.44）参照

しかし、トレーニング中に、研修参加者の誰かが一定時間全責任をもってドラムサークルを行う時間は、なかなかとることができません。それが、トレーニングの最大の矛盾点となります。

それをカバーする方法として、以下のような試みが行われています。

- ジャパン・プレイショップでは、リピーター参加者が15〜20分程度のデモ・ドラムサークルを行い、その後アーサーがフィードバックを行う

- ハワイ・プレイショップでは、メンターやアドバンス参加者がテーマを決めたデモ・サークル（60分程度）を行う

- ハワイ・プレイショップでは、最後の一般公開ドラムサークルで、トレーニング参加者から選ばれた数人のファシリテーターが、1人30分程度のドラムサークルを担当する

- DCFGファシリテーター認定（次項）において、60〜120分のドラムサークルのビデオ提出、または審査員の前でのフル・ドラムサークルの実施を義務づける

ハワイ・プレイショップで、ウィメンズ・ドラムサークルのデモンストレーションする著者

- ファシリテーターが互いのドラムサークルに参加し、フィードバックしあう

- DRUMAGIK／ドラムサークル研究会では、プレイショップ修了者を対象に、[*1]フィードバック・セッションや、[*2]フィードバックを行っている

- プレイショップで時間的に余裕のある場合、[*3]**トランジション・ポイント**を体験できる時間を提供する。ハワイ・プレイショップでは、この時間をたっぷり体験する時間が設けられている

- DRUMAGIK／ドラムサークル研究会では、その他にもトランジション・ポイントを[*4]体験できる場を、できるだけ多く提供している

プレイショップで、1人のファシリテーターが一定時間の流れを担当する

ユニークな「**技**」を思いつく人、もともとファシリテーターに向くカリスマ性や[*5]プレゼンスをもっている人など、セグメントやシークエンスしか見ることのできないトレーニングで目立つ人が、実際に**流れ**を読み、それに反応しながらエンパワーメント型のドラムサークルができるとは限りません。また、トレーニング中には時間的制約により、そのファシリテーターの真の実力や成長ぶりを、トレーナーが知る機会が与えられません。これは大きなパラドックスとなります。上にあげた方法以外にも今後さらに、それをカバーできる努力が必要となるでしょう。

[*1] 参加者同士が互いをフィードバックするセッション。セッションのファシリテーターは、直接フィードバックを行わない。これをきっかけに、日本でもアーサリアン・ファシリテーターたちは、互いのフィードバックを始めている

[*2] 実際にドラムサークルに参加したり、送っていただいたビデオを観て、著者がフィードバックを行う。また、そのための速記法も考案されている（Drum Circle Facilitation *by Arthur Hull*）

[*3] 第4章　アーサリアンの基本概念 参照

[*4] トランジション・ポイントをつかむことが、ファシリテーションの「流れ」を作る最初のステップとなる

[*5] 存在感、在り方

DCFGとファシリテーター認定

国際ドラムサークル・ファシリテーター協会（DCFG）は、世界中で広がっているドラムサークル運動の再定義を行い、ドラムサークル・ファシリテーターの福利厚生や社会的地位の向上、プロフェッショナル・ファシリテーターの認定や国際カンファレンスの主催によるドラムサークルおよびファシリテーターの質の管理などを目的として設立されました。

ドラムサークルには多面的な側面がありますので、ファシリテーター認定は一筋縄にはいきません。DCFGではファシリテーターの認定に関して、多項目にわたる厳密な判断基準を作成しています。2005年に私が認定を受けた時には以下のような条件が課せられました。

1．前年度にHawaii Playshopでメンターをつとめたこと[1]

2．前年度Hawaii Playshopでデモンストレーション・ドラムサークルを行ったこと[2]

3．そのデモ・サークルと同じ内容のドラムサークルを地元に戻って行い、そのビデオを提出すること。ビデオはDCFG理事3人により、非常に細かいチェックシートを使って審査する

4．年間規定回数以上のドラムサークルを行っていること

5．各種書類、レポート等を提出すること

シークエンスを行うこと自体のスキルや打楽器・民族音楽に対する基本的知識をもっていることは、ファシリテーターの資質のごく表面的な一部に過ぎません。DCFG認定では、そうした基本的なスキルに加えて、ファシリテーターの成長が見られ、自己開示しているかどうか、深いラポールを築いているか、サークルのためのエンパワーメント・ドラムサークルができているか等、総合的な審査が行われています。

DCFGはいかなるトレーナーや企業からも独立した、米政府の認定を受けた非営利団体（NPO）です。理事職ではなく顧問として、ジム・グライナー（Hands-on! Drumming Events、LPエンドーサー）、アーサー・ハル（Village Music Circles、REMOエンドーサー）、クリスティーン・スティーヴンス（Up Beat Drum Circles、REMOエンドーサー）も名を連ねています。

また、2008年からは、アーサー・ハル主宰のVillage Music Circleもファシリテーター認定を始めました。

アーサー・ハルのプレイショップ参加者に発行される修了証。アーサーのVillage Music Circlesは、2008年からファシリテーター認定も開始

国際ドラムサークル・ファシリテーター協会（DCFG）
プロフェッショナル・ファシリテーター認定証

*1 この時はHawaii Playshopが条件となっていたが、これはアーサー・ハルのトレーニングを受けていなければファシリテーターではない、という意味ではなく、当時他に条件として適切なものがなかったからという理由で条件となった。現在DCFGでは、さらに審査基準の整備を行っている

*2 Hawaii Playshopでは、2回めの参加以降（それにもさらに参加条件あり）しかメンター・トレーニングに参加できないため、1と2ですでに2度のHawaii Playshopを受講していること、数年の実地経験があるという条件がクリアされている

成長しつづけるファシリテーター

ファシリテーターは、トレーニングを受けたり実際にドラムサークルを行ったり、という時点で完成されたとはいえません。どのようなことを学んだり行ったりしていても同じですが、トレーニングが終わった瞬間はまさに「**最初の一歩**」「**はじまり**」です。1回1回のドラムサークルから学びがあり、そして、成長は一生続くのです。

では、何に関して成長したらよいのでしょう？

いちばん具体的な例は、新しいシークエンスや苦手な部分に挑戦しつづけることです。ドラムサークルは生きものですので、ひとつとして同じものはなく、毎回異なります。その意味では**常に新しい**とも言えるのですが、その一方で、とくに条件のそろった＊コミュニティ・ドラムサークルでは、ある程度やっていると、楽にできるようになったと感じられる時期がめぐってきます。たしかに数をこなせば慣れる部分もありますが、よく考えてみると、いろいろなことに気がつきます。

ファシリテーターは、参加者と共に成長する

自分の苦手なことや、以前試してうまくいかなかったことを、避けていないでしょうか？　それが、**楽になった**理由の1つかもしれません。何かを無意識に避けている限り、次のステップに行くことは困難です。つまり、表面上うまくいっているように感じられるのですが、じつはそこで成長がストップしてしまっているのです。

私の場合の例を1つあげると、数年前、楽になったと感じ、**次の壁を突破する方法**として無理矢理考え出したのが、「歌をうたう」ということでした。私は日頃から歌が苦手で、人前で歌うことなど考えられませんでした。そこで、「ドラムサークルはエンパワーメント。私みたいな音痴が歌っていいのなら、誰でも歌っていいことが伝わるはずだ」と自分を叱咤激励し、ドラムサークルでアフリカの歌を教えるなど、どんどん歌うようにしました。いまでも人前やドラムサークル中に歌を歌うのはけして得意ではありませんが、以前ほど気の重いものではなくなってきました。誰にも「苦手なもの」があります。とくに人と違ったことをするのを遠慮する傾向のある日本では、**自由な表現**そのものが苦手な人も少なくないでしょう。ですので、こうした態度を通じてファシリテーターが**何かをするのを許されている**と同時に、参加者も**許されている**ということが伝われば、と思います。

こどもたちは、いつでも良き師となってくれる

また、どこかで誰かが行ったシークエンスを見て、自分もやってみたいと思ったり、自分で新しいシークエンスを考えついたりすることがあります。もちろんドラムサークル・ファシリテーションは「ファシリテーターのネタ披露の場」ではありませんから、ここではあくまでも参加者のために行う新しい挑戦を指します。しかし、それを試して、いつもうまくいくとは限りません。ドラムサークルでは、ファシリテーターにも参加者にも**失敗**というものはないので、**うまくいかなかったのは失敗ではなく、うまく伝えることができなかった**ということになります。

＊ 療法として使われる場合、特殊な対象者の場合、特定の目的を持つ場合などではなく、一般公開して行われる、コミュニティ作りや楽しみを目的に行われるドラムサークルを指す

そのような場合、苦い思い出としてそれ以降は同じシークエンスに挑戦することなく終わると、それこそが失敗となり、成長が止まってしまいます。それを何度でも改善しながら**練習**（表現が適切ではないが）していくと、新しい世界が見えてきます。何かうまくいかなくてもがっかりしないで、挑戦をつづけましょう！

また、ドラムサークル・ファシリテーションは、「**うまくなったからもう大丈夫！**」というものでもありません。毎回まったく異なるのがドラムサークルです。いつまでたっても、大恥をかいたり落ち込むこともあります。これを私たちは**エゴの死**と呼んでいますが、経験を重ねることでファシリテーターは成長していくのです。

失敗ではなく、学びの機会

2006年のDRUMAGIK／ドラムサークル研究会主催のドラム・リトリートの時のことです。その時来日・参加していた国際ドラムサークル・ファシリテーター協会会長ジョナサン・マリーは、最初のドラムサークルで私が「大失敗」したあげく、サークルの中央で大げさに倒れたのを見て、大喜びしました。日本ではアーサリアン・ファシリテーターの先頭を走っていると思われている私が、大恥をかくことを承知で敢えてチャレンジし、案の定大失敗して、それでもくじけずにやりつづけたからです。それを見ることにより、その場にいた誰もが「いつまでたっても、うまくいかない時がある。勉強は終わらない」「チャレンジしつづけることは大切だ」「うまくいかなかったことが、改善のための素晴らしい機会となる」ということがわかりました。後に彼は、Teaching without teachingされたと語ってくれました。また参加者としてその場にいたファシリテーターたちが、安心して**失敗できる場**を皆で創り支えていることも、特筆すべき点でした。

ここまでは具体的なシークエンスに関する成長に関して述べましたが、もっと大きい意味での成長もあります。

ファシリテーターにとって、とても大切な条件の1つは、**自分自身をより深く知っていく意思がある**ことです。また逆に、そこがドラムサークルをやっていて、いちばんおもしろいことかもしれません。そのためには、自分自身の殻をやぶる、ありのままの自分でいる、新しい自分を発見する、自分とは誰か考える…と、どんどん哲学的な領域にも入っていきます。

きちんとエンパワーメントのできているサークルでは、ファシリテーターは参加者に対して「自分自身でいてください」「自由に表現してください」と、非言語でとても強いメッセージを伝えています。人にはそれを要求しながら、ファシリテーター本人がそのような姿勢でいないのは、矛盾していますし、そのような「嘘のメッセージ」が基盤になっている場合、本当の意味でのラポールは築かれていません。

もちろん、ドラムサークルはたんなる**音楽イベント**、**エンターテイメント**として扱うこともできます。しかし、せっかくいろいろな準備、勉強、投資をするのですから、深みのあるドラムサークルを行えるようにした方が、さらにさまざまな機会に活かすことができます。ドラムサークルの可能性は、思ったより広く、深いものです。また、ファシリテーターをつとめる、ということは、自分が成長する絶好のチャンスでもあるので、それを利用しないのは、「**もったいない**」です。ですから、いろいろな機会を利用して、ぜひあなたも成長をつづけてください。

サークルは参加者のもの

ドラムサークルの基本概念の1つは、**サークルは、参加者のものである**ということです。当たり前だと感じられるかもしれませんが、これにはさまざまな意味が隠されています。

サークルは参加者のもの

- サークルの中にずっといて、参加者を**盛り上げている**
- いろいろなリズムやたたき方を教える
- ファシリテーターがエキサイトしている
- ファシリテーターが、上手に演奏してみせる

上の行為は、一見よいファシリテーションのように思えますが、やり方によっては、いろいろな問題を生じさせます。くり返し述べているように、ドラムサークルの基本は**エンパワーメント**です。それを達成するために、最も避けたいことの1つが、「**ファシリテーターが上：参加者が下**」という上下関係です。それによって、ファシリテーターは参加者を依存的なグループにしてしまい、エンパワーメントとは逆の結果がもたらされます。また、ラポール＊も築かれていません。参加者は、ファシリテーターがどのような**在り方**でいるのかを無意識レベルで敏感に察知しているのです。上にあげた例のすべてがどんな状況でもよくないとは言えませんが、気をつけて行うのがよいでしょう。

参加者には、あなた自身が気づかないメッセージが伝わっていることもある（写真提供：横田明子）

ドラムサークルの世界では、ファシリテートするという行為は、**to serve the circle**であるとされています。serveという単語は日本語に翻訳しにくいのですが、私はエンパワーメント・ドラムサークルの本質的意味がわかりやすいよう、**奉仕する、お仕えする、お役に立つ**と伝えています。とくに先生とかリーダーという人に従順に従う傾向のある日本の文化の中では、自分はそうした「上に立つ人」「ひっぱってくれる人」ではなく、**ファシリテーター**であることを、言動でしっかりと伝えていくことが大切です。あなたは、知らない間にじつにさまざまなことを、参加者に伝えているかもしれません。そうした細かい点を自分で気づき、チェックできるようになると、エンパワーメント・ドラムサークルが実現できるようになります。

実際のドラムサークル、とくに第1章で説明した「クローズド形式」の現場では、主催者や参加者から「先生」と呼ばれることが少なくありません。日本の文化の中では、「講師」の立場の人は、なべて「先生」と呼ばれるのです。私は個人的こだわりとして、打ち合わせの時点から、「先生」と呼ぶ主催者の方には、「*ササキさんかカオルさんと呼んでください*」とお願いして、当日紹介される時もそのようにしてもらっています。「先生」と呼ばれるといい気分かもしれませんが、そうした細かい部分でもファシリテーターとしての態度や**在り方**が表現されるのではないでしょうか。

打楽器に慣れない人の多いドラムサークルではストレッチも有効

＊「ラポールは巧みに操ることではありません。巧に操る人たちはラポールを築いているように見えるかもしれませんが、影響し合うために自分をオープンにしていないため、そして相手の人たちに敬意を持たないため、その関係にはラポールがないのです。ですから、私たちが他者とラポールを築くとき、相手によって影響されることを心から受け入れています」『NLP実践マニュアル』（ジョセフ・オコナー著、ユール洋子訳、チーム医療刊）より

*トリックスターとしてのファシリテーター

ドラムサークル・ファシリテーターをつとめていて、いちばん興味深いのが、「ドラムサークル」という「衣装」が、さまざまな新しい世界にいきなり飛び込むためのパスポートとなる点です。障がい者施設、介護施設、学校の教室、大学ゼミ、各種グループ、病院、刑務所、宗教関係・・・ その他いろいろな場合が考えられます。そこに、部外者でありながら、すっとその中に入っていくことができるのです。それぞれの施設や組織の人は、その内部は知っていても、他の業界や組織の内部に突然入って何かをする機会はあまりありません。

これは、けして好奇心を満足するためのものではなく、普段は内部に入れない世界を見ることにより、世界はじつにさまざまな人や価値観でできている、ということを肌で感じ、人間をより深く知るきっかけとなります。それぞれが病気や障害、または組織運営、ストレス等に悩んでいること等を目の当たりにすると、自分はとても幸せであることに気がついたり、それでも人間というものには共通の何かがあると理解できたり・・・ これこそが、ドラムサークル・ファシリテーターであることの醍醐味かもしれません。

また、ドラムサークルは基本的に**非言語コミュニケーション**であるため、トリックスターの役割の1つである**言いにくいことを言う、真実を語る**ことができます。ファシリテーターは、参加者にドラムをたたく、または自己表現をするという**非日常的行為**をしてもらうことにより、人々の心をよい意味で**引っかき回し**、風を通す手助けをする、楽しいいたずら者の役割もつとめます。

トリックスターは、閉ざされ沈滞した集団に風を通し、パラダイムを転換させる力をもっています。それを、参加者のそばに寄り添うように行うのが、エンパワーメント・ドラムサークルです。

介護施設

幼稚園の先生方と「ケアする人のケア」

*トリックスター：神話や物語の中で、神や自然界の秩序を破り、物語を引っかき回すいたずら好きとして描かれる人物のこと（Wikipedia Japanより）。民族学、社会学等で使われる概念。ワタリガラスやコヨーテという動物や、中世の道化など、人間でない形で現れる場合も多い。しばしば「笑いやいたずらや思いがけない言動を通じて、誰も言うことのできない真実を語る」「複数の世界を行き来することを許された」存在とされる

理想のファシリテーター

絶妙なファシリテーションで定評のある世界のトップ・ファシリテーターの1人、ジョン・ヨストは、「ファシリテーターの仕事は，単純だ。なんらかのリズムを始めさせて，最後に終わらせる・・・それだけだ」と語ってくれました。これには大きな真実が含まれています。

また私は個人的には、究極のシークエンスは「**サークルの中に入る → アイコンクトをとりながら，笑顔でゆっくり360度回転する → うまくいっていることをボディ・ランゲージ(またはことば)で伝える → サークルから出る(この間，身体でリズムをとっている)**」だと思っています。あなたには、このシークエンスが「退屈だ」と感じられるでしょうか？しかし実は、この非常にミニマルなシークエンスには、エンパワーメント・ドラムサークルの基本的要素がすべて入っているのです。

ジョン・ヨストと著者

- ラポールを築く

- 参加者とのつながりを創る

- 参加者の行為・様子を受容する

- うまくいっていることを、非言語で伝える・励ます

- テンポを設定する

- 1拍めがどこか設定する

- リズムがばらけている場合、凝縮性を高める

- あれこれ指示しないことにより、**サークルは参加者のもの**と示す

- さっさと退場することにより、**サークルは参加者のもの**と示す

アーサリアン・ドラムサークルの基本概念の1つに、**KISS - Keep It Stupidly Simple**(ばかばかしいほどシンプルにの意)というものがあります。くり返しますが、ドラムサークルはファシリテーターの技を披露したり、エゴを満足させるための場ではありません。シンプルなシークエンスにより、微調整をしてさっさとサークルから出るのが、よいファシリテーターなのです。

とはいえ、**その先**の深いドラムサークルにするため、Teaching without teaching して、最終的にはその集団の音楽的能力・コミュニケーション能力の最大限の可能性を発揮させるために、いろいろなシークエンスを行います。ドラムサークルの**深さ**は、最終的には音そのものに現れてきます。アーサー・ハルはつねに、「**ドラムサークルの音楽の質は、参加者の音楽的スキルではなく、関係性に左右される**」と語っています。

ファシリテーターや状況によりますが、ドラムサークル中にファシリテーターがサークルの中に入っている時間は、全体のうちごくわずかに過ぎません。アーサーのアドバンス・トレーニングやDRUMAGIK／ドラムサークル研究会のワークショップでは、シークエンスの長さ(サークルに入って、出るまでの時間)を記録し、さらにさまざまなスキルを身につけるという練習も行っています。

アーサー・ハルの考え方は、「ファシリテーションの目的は、最終的にファシリテーターを必要としないサークルにすること」というパラドックス的なものです。これは、参加者の自立につながる、エンパワーメントには不可欠な要素です。

以上のようなことを考えると、理想的なドラムサークル・ファシリテーションの究極の目的とは、**自己表現のできる安心・安全な場を提供すること**に尽きると言っても過言ではありません。その上で、参加者の**関係性のスキル**を向上させ、それが音楽や表現として表れてくるのです。

ドラムサークルの音楽の質は、参加者の音楽的スキルではなく、関係性によって決まる

DRUMAGIK／ドラムサークル研究会では、DCファシリテーションに役立つコミュニケーション・スキルのワークショップも行っている。これは、「声のコミュニケーション」

ファシリテーターの適性

どのような人がドラムサークル・ファシリテーターに向いているのでしょう？　また、ファシリテーターとして、どのようなことを身につけていく必要があるでしょうか？

1．音楽

ファシリテーター・トレーニングを受けるのに、打楽器の知識やスキルは必要ありませんが、ドラムサークルを行っていくには、その後ある程度の打楽器の知識や技術の勉強が必要となります。しかし、素晴らしく巧みな打楽器奏者や打楽器教師であることは必要とされません。むしろ、プレイヤーやティーチャーは、「プレイヤー」「ティーチャー」という立場でファシリテートすると、エンパワーメント・サークルにならないので、注意が必要です。プレイヤーやティーチャーは、すでに素晴らしいカリスマやプレゼンスを身につけています。そのため、人前に出ても物怖じすることなくファシリテーションに取り組める場合が多いでしょう。しかしドラムサークルでは、自分はプレイヤーやティーチャーではなく、**ファシリテーター**であると、意識や態度そのものを意識的に変換して臨みましょう。プレイヤーやティーチャーでありながら、ファシリテーターもつとめている方もたくさんいますので、その違いを観察するのもよいでしょう。

ジェンベ・レッスン

フレーム・ドラム・レッスン

2．態度または在り方

音楽だけに長けていても、よいファシリテーターになることはできません。まず、ファシリテーター自身が自分自身を発見し、それを受け入れ、サークルの前や日常生活を送る中で表していくことが大切です。また、ドラム・カルチャーそのもの、参加者、そして自分自身も**尊重**し、一緒に何かを築こうという態度を体現していくと、さらに実り多きドラムサークルを行う助けとなります。

また、常に学びつづけようとする態度も、ドラムサークル・ファシリテーションに如実に表れてきます。前項でも述べた通り、ドラムサークル・ファシリテーターであることは、気づきを得て成長をつづけるための、とても素晴らしい機会となります。真摯な態度でドラムサークルに取り組んでいれば、自動的により魅力的な人間になれるでしょう。

3．分析力（内容）vs 直感（プロセス）

アーサリアン・ファシリテーションは、一般の印象と異なり、細かい理論とメソッドに支えられています。そうした**ツール**を使いこなしながら、一方で直感も使って**流れ（プロセス）**を作っていく、さらには流れに沿って進んでいくことが大切です。一見直感と思える能力の一部は、経験によって身についていく場合もあります。これと関連して、**柔軟性**も重要な要素となります。

分析力と直感は、どちらかが得意という方が多いのではないでしょうか？　意識して、その2つのバランスがとれるようになると、よりエンパワーメント型のドラムサークルが可能となります。

4．コミュニケーション能力

グループ・ドラミングそのものがコミュニケーション・メソッドなので、これはあらゆるレベルに適応するポイントです。ドラムサークル中のコミュニケーション能力はもちろん、その前後にも、大切となります。**言語・非言語のコミュニケーション**について、勉強をつづけると、ドラムサークルにかならず役に立ちます。

アイコンタクトはコミュニケーションの基本

ファシリテーターが知っておくべきこと

以下は、すべてを詳しく知る必要はありませんが、知っておくととても有用なツールになります。ドラムサークルに興味をもっている人は、さまざまな指向性や目的をもっています。前述のいろいろなポイントに日頃から目を向け資料を集めたり考えをめぐらせたりしていると、その方がいちばん納得できる説明ができるようになるでしょう。同じ日本語話者でも、人はそれぞれ異なる「言語」を話しています。相手の言語に合った話し方・説明の仕方ができるようになると、あなたのドラムサークルに参加してくれる人はきっと増えるでしょう。

また、下のような要素を常に自分にインプットすることにより、自分の中でのモチベーションもアップし、ドラムサークルの理解が深まっていくでしょう。それは、あなたの行うドラムサークルに、表れるはずです。

1．音楽・アート・表現

とくに打楽器の基礎知識や[*1]リズマカルチャーについて、より多く知り、スキルも身につけていると、役に立つことは言うまでもありません。機会を見つけて学びましょう。また、打楽器全般について、アートや教育の一環としての視点ももっておくとよいでしょう。

2．サイエンス

ドラムサークルは音楽表現という範疇に入りますが、リズムと脳やコミュニケーションについて、脳神経学、物理学その他科学的説明をできると、自分の理解にもつながりますし、とても便利です。そのような研究は現在世界中でなされているので、いろいろ調べてみましょう。

3．社会科学（民族学、民族音楽学、文化人類学）

ドラムサークルはいまになって始められたことではなく、古今東西のさまざまなリズマカルチャーでもともと行われて来た人類共通の行為です。また、現代ドラムサークルで使われるさまざまな楽器は、世界中のリズマカルチャーから**お借りしてきた**楽器がほとんどを占めています。それらのルーツとなった文化への**敬意**を忘れないことが、最低限のルールです。

4．精神性

リズマカルチャーと切っても切れない関係にあるのが、精神性や精神世界です。ドラムやリズムは、現在科学的にも解明されつつありますが、さまざまな文化の[*2]**トランス**と[*3]**変容**の儀式等に使われてきました。この分野は一見、胡散臭い部分に聞こえるかもしれません。しかし、ドラムサークルに参加して、とてもうれしい気持ちになった、生きている実感があった、ということを考えるとわかりやすいかもしれません。

5．経済

現代社会は、効率優先の社会と言えるでしょう。経済的側面を基調とした説得材料をもっているのも強みとなります。

---

*1 「リズム」と「カルチャー」を融合させたアーサリアン用語。リズムに基づく文化を指す
*2 変成意識状態になること
*3 価値観・視点・行動等が変わること

第 3 章 楽 器

楽器について

ドラムサークルを始めたいという方にとって、いちばん頭を悩ませるのが楽器です。レンタル楽器にたくさんの費用をかけられる場合や施設や学校等が揃えてくれる環境にある場合は別として、自分で楽器を揃えるには、楽器を買う費用、保管場所、メインテナンス、運搬手段と、いろいろな条件がかかわってきます。それだけの投資を行うべきかどうかは、人それぞれです。

私自身は幸い保管場所と運搬手段はあり、楽器も少しは持っていましたが、最初は地元地方自治体の助成金を得て、コスト・パフォーマンスのよい最低限の楽器を入手し、それから少しずつ揃えました。現在では打楽器メーカーからモニターとして楽器を提供していただく場合もあります。当初は手作りの楽器を作ったこともありますが、安全性や耐久性では試行錯誤の連続でした。また、市販の楽器も、とくに耐久性に関してはほんとうに「痛い目」に合いながらも今日に至っています。長い期間使えるなら、その時は高いと感じても、コスト・パフォーマンスはよいという結果になります。一方で、耐久性の高い楽器や一定の音質の楽器は一般的に重いので、運搬・セッティング時の身体的負担は増えてしまいます。あなた自身の好みや状況により、優先順位を考えましょう。

手作り楽器に関しては、**楽器作りとドラムサークル**という抱き合わせのイベントもあり、環境教育や文化教育を組み込んで行うこともできます。日本で以前、ファシリテーターたちが手作り楽器についての議論を行った際、「民族楽器や手作り楽器を使って万一事故のあった場合、PL法が適応されない」という意見も出ました。どれだけ神経質に捉えるかは、状況を考えて各自で判断しましょう。

耐久性に関しては、自分で演奏に使う場合とちがって、ドラムサークルではその何倍も楽器が傷みやすいと考えた方がよいでしょう。また、ドラムサークルのように大量の楽器を扱う場合、1つひとつをケースやカバーに入れてはいられないこともあるため、楽器は運搬中にもたいへん傷みます。日本では本皮のドラムは湿気や温度などの保管条件も気になります。野外イベントの場合は、耐水性の高い楽器も便利です。

もともと打楽器の演奏をしている人は、自分の楽器をドラムサークルに使って数を揃えざるをえないですし、タイコ好きならどうしても自分のほしい楽器を買ってしまいがちです。しかし、上記の条件やその他の理由により、最終的には自分の楽器とドラムサークルの楽器は分けて使えるようになるのが理想的です。とはいえ、限られた予算の中で、それも簡単にはいかないかもしれません。慌てずに、少しずつ揃えるようにしましょう。また、先輩の経験談を聞いたり相談したりするのもよいでしょう。

以下が、ドラムサークル用の楽器を揃える場合のポイントです。

1. 耐久性

2. コスト・パフォーマンス

3. 安全性

4. 天候順応性

5. 収納性

6. 重量、サイズ

7. 音のバランス

8. バラエティー：さまざまな文化の楽器、工場生産vs民族楽器、メーカー、サイズ、音高、音色、色、素材など

9. こども・高齢者・障がい者等を対象とする場合は適宜注意事項に即したもの

それをふまえて、以下のような楽器を揃えるとよいでしょう。

1. ドラム＆*1パーカッション（内容は以下）

2. *2ブームワッカー

3. *3サウンドシェイプ

4. *4ファウンド・サウンド

5. 手作り楽器

6. ボディ・パーカッション

7. ボイス

8. *5トーンチャイム

9. その他のピッチ（音高）のある打楽器

10. *6アンビエント楽器

その他、あなたの工夫次第！

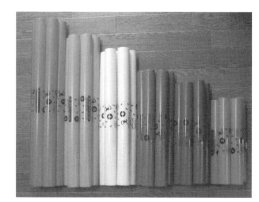
ブームワッカー（ドレミパイプ）

サウンドシェイプ

*1 パーカッション：アーサー・ハル方式のドラムサークルによる分類で、打面のない打楽器、小物類、非膜鳴楽器を指す。他分野、他ファシリテーターは他の呼び方をしている場合もある。マラカス、カウベル、アゴゴ、クラーベ、ギロ等
*2 日本名「ドレミパイプ」、輸入代理店（株）ホスコ http://www.hosco.co.jp/
*3 REMO社の平らなドラム。輸入代理店ヤマハ・ミュージック・トレーディング（株）http://www.y-m-t.co.jp/
*4 日常の中にある、音の出るものを利用する。バケツ、ボール、缶、キッチン用品その他
*5 製造販売（株）鈴木楽器製作所 http://www.suzuki-music.co.jp/
*6 リズムを刻みにくい楽器を、リズムを刻まずに利用する場合。TOCAサーフドラム（輸入代理店（株）中尾貿易 http://www.nakaocorp.co.jp/ Toca/lineup/tocaseries/02_01toca.html）、REMOオーシャンドラム、チベタンベル、シンギングボール、口琴、ディジュリドゥ、親指ピアノその他。音量の小さいものも多い

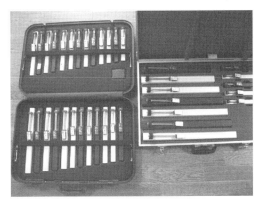

トーンチャイム

ファウンド・サウンド

いろいろな楽器

おもちゃ類

水笛。大人も童心に還って

人間！ ボディ・パーカッション、ボイス、歌はもっとも根源的な楽器

いわゆる**ドラムサークル**部分（p.18参照）を行う場合は、前ページ下段1だけで十分です。しかし、音量の制限のある会場、リピーター参加者が多い場合、セッティングと撤収に時間のない場合、楽器作りと抱き合わせのイベント、大量の楽器の運搬が困難な場合、特別な目的で行われる場合等、さまざまなイベントがあるので、前ページ下段2以下もあると便利です。

メーカーによっては、ドラムサークル用に開発された楽器もあります。そのポイントは以下の通りです。

1．ハードウェアによるチューニング方式でない：ハードウェアにより重量が増し、楽器転倒時の危険、楽器同士に傷がつく、などの理由で、プリチューンド（チューニングできない方式）またはヒモ締めで作られている

2．入れ子になる：収納性が格段にアップする

3．平面状のドラム：さらに、収納性の高いタイプもある

4．バラエティのある音色（ティンバー）、ピッチが出る（*1セット楽器の場合）

5．耐久性がある

とくにドラムサークル用に開発されていないものでも、ドラムサークルに適した楽器もたくさんあるので、いろいろ調べてみましょう。

「ドラムサークル」というイメージから、楽器を揃える場合、サークルの参加人数分のドラムがなければならない、と思う人も少なくありませんが、実際にはそうではありません。むしろ、パーカッションを混ぜることによって、さまざまなメリットがあります。

ドラムサークル中に、自分のドラムの打面に耳を近づいている参加者を、見たことのある人も多いでしょう。それは、自分の音が聴こえないからです。打楽器の演奏に慣れた人やなんらかの楽器を演奏している人にはわかりづらい感覚かもしれませんが、一般の参加者は、音を聴き分けるのに慣れていない、と思った方がよいでしょう。サークルの楽器編成がドラムだらけだと、その傾向は強まります。その点パーカッションですと、とくに個々の音色に特徴がありますので、音の聴き分けが楽になります。

また、似たような音質のドラムばかりだと、どうしても全体の音量が上がりっぱなし、または下げてもすぐまた上がってしまう、という傾向があります。やはり個々人が自分の音が聴こえないため、さらに強くたたき、全体の音量が上がるのでさらに聴こえなくなって、悪循環が生じるためだと思われます。何かを強くたたいてストレス発散するのもよいですが、ドラムサークルはその他にも多くの可能性を秘めています。参加者がそれぞれに互いの音が聴こえて、コミュニケーションしやすく、楽しめる楽器構成を提供するのが望ましいのです。

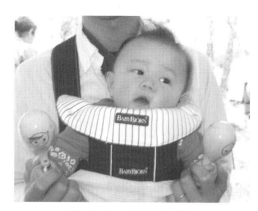

パーカッションは大切な要素

また、楽器を混ぜることには、ファシリテーション上の理由もあります。ファシリテーターの重要な役割として、Teaching without teachingをすることと、参加者全員が**不可欠で大切な存在**であることを理解してもらうことがあげられます。ドラムとパーカッション、さらにその種類ごとにスカルプト*2することにより、参加者に楽器群による音の違いをことばを介さずに教え、どの参加者も同等の立場で参加していること、どの人も不可欠な存在であること、また互いの音に耳を傾けることの大切さを伝えることができます。

*1 アーサー・ハル Nesting Drum（http://www.drumcircle.com/products/percussion.html）は、6つのボディと12の打面の組み合わせにより、世界中のあらゆるドラムの形態・音質も網羅するようにできている、ドラムサークル用セット楽器

*2 スカルプト：サークルの一部の演奏者のみを残し、他の参加者に演奏をストップして聴いてもらうこと。サークルの1／2、1／3など場所的な場合、楽器別の場合、数人の参加者をフィーチャーする（ソングをスカルプト）場合、その他の要素（服装、性別、眼鏡の有無などなんでも）で分ける場合他がある

楽器編成はどのようにしたらよいのでしょう？　アーサー・ハルの意見では、**ドラム：パーカッション＝１：１**、さらに、パーカッションの内訳は**シェイカー：ウッド：ベル＝１：１：１**とされています。ドラムは**高音：中音：低音＝１：１：１**の割合となっています。

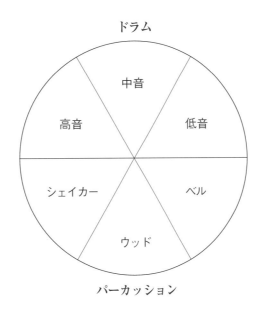

（上図の基本概念はアーサー・ハルのファシリテーター・プレイショップおよびDrum Circle Facilitationより）

この他にも、ファシリテーターによって意見は異なります。中には「ドラムは全体の1/4で十分」という人もいますし、上記とは[*1]異なる楽器の分類をする人もいます。ぜひあなたもいろいろと試して、自分にいちばん合った楽器編成を見つけましょう。

低音ドラム

[*2]中音ドラム

[*1]　参考：『ドラムサークル・スピリット』『Drum Circle Facilitation』アーサー・ハル著、『ハート・アンド・アート・オブ・ドラムサークル』クリスティーン・スティーヴンス著、『トゥギャザー・イン・リズム』Kalani著（ATN刊）

[*2]　チューニングや奏法によっては、厳密に分けられない場合もある。また私は個人的に、ジェンベ等ヤギ皮の多くなりがちな中音域に、よりトーンやメロディーが加えられるよう、なるべく牛皮のものを入れるようにしている

高音ドラム

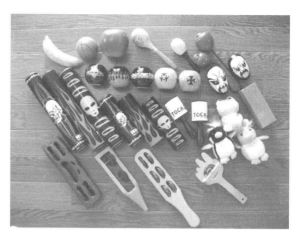

*1 シェイカー

*2 ウッド

ベル

大切なポイントは、「楽器＝ドラムサークル」ではない、ということです。「**ドラムサークルは、人**」です、そして、**人と人との交流そのもの**です。立派な楽器がそろっていなくとも、それを補う何らかの方法で後者がしっかりと実現されていれば、ドラムサークルと呼んでよいでしょう。楽器を揃えただけで「さあ、これでドラムサークルができる」というものではありません。基本的なファシリテーション技術をきちんと学び、自分のものにしてはじめて、参加者と共に喜び合える、意義深いドラムサークルができるようになります。

ロジスティクス

ドラムサークルの成功を支える大切な要素として、**ロジスティクス**と呼ばれる分野があります。これは人の流れや楽器の選択・運搬・配置など、物理的にドラムサークルを支えていくストラテジー全般を指します。ロジスティクスを大きな意味で捉えれば、どのようなプログラムを用意していくかも、この範疇（はんちゅう）に入ってきます。

*1 写真の下段の楽器やヘッドのないタンバリンは、「メタル類」として分類されることもあるが、アーサリアンでは材質よりも音の特性に着目し、シェイカー類に分類している
*2 木の音のするもの。プラスチック製のものもある。写真の下段の楽器は、トレモロで演奏される場合、シェイカー的な役割ともなる

① 会場にどのように100人の幼稚園児を部屋に誘導し座らせていくか、その時楽器はすでに置いてあるのか、ないのか ② 部屋にサークルを作っているのか、一角にサークルを作り、空いたスペースで立位のアクティビティを行うかどうか ③ 楽器セッティングや撤収の時間が与えられない場合に、何の楽器をどのように配布し、どのように回収するか・・・ 以上は、すべてロジスティクスです。

狭義のロジスティクスは、楽器をどう配置するのか？という問題です。アーサリアンでは、まず楽器を**ドラム、パーカッション、ドラム、パーカッション、ドラム**・・・と置いていきます。そのパーカッションは、**シェイカー、ウッド、ベル**と置きます。また、アーサーの長年の経験と試行錯誤から、低音域のドラムは一番内側のサークルに配置しています。似たようなタイプのドラムや同じ音域のドラムは、なるべく均等に置きます。

なぜ配置が大事なのでしょうか？　音が均等になっていることにより、*フル・グルーヴの時も楽器群別にスカルプトした時も、すべての参加者が全体の音を均等に聴くことができます。それによって、Teaching without teachingが進み、さらなるエンパワーメント・ドラムサークルの助けとなるのです。

参加者の多くはなぜか「ドラム」をたたきたがります。参加者に、「パーカッションしか触れなかった」という不満が残ると判断したら、なんらかの方法で、途中で楽器交換する時間を設ければ解決できます。

楽器のメインテナンス、準備、運搬も、ファシリテーターの大切な仕事

参加者の数に変動がある場合や、自由に楽器を選んでほしい場合は、1ヶ所に一部の楽器を置いておいて、自由にとってもらう方式もあります。しかし、それには以下のようなリスクを伴います。

 1．音のバランスを保てない

 2．とくにパーカッションを持った人が、サークルから離れたところに立ってしまい、音の凝縮性が低くなる

 3．ファシリテーターがそうした人々をサークルに近づけるのにエネルギーを費やさなければならなくなる

可能な場合はできるだけ、楽器は椅子の数のみ出しておきましょう。また、マレットやスティックはフレーム・ドラム、ウッド、ベルに必要なもののみを置きましょう。過剰な数の楽器、マレット、スティックがあると以下のようなリスクが生まれます。

 1．音のバランスを保てない

 2．その楽器には適さないスティックやマラカスで楽器をたたく人が出る

 3．転倒等の危険がある

インターナショナル・スクールで行った楽器配置の例。2列目までは堅い体育マットを重ね、後ろに行くほど高くしている

*「全員が演奏している状態」を指すアーサリアン用語

椅子の数は、なるべく参加人数と同じ数にしましょう。座っていない椅子、つまり「サークルに穴」がある場合、音に偏りがでるだけでなく、参加者は互いの音が聞こえづらくなります。できるだけ前列からつめて座らせて、残りの椅子と楽器をすぐに取り出せる場所にまとめて置いておきます。参加者が増えたら椅子と楽器を配置してあげましょう。また、人数が増えてサークルの外に人が立つ場合、離れて立つ人がたくさんいます。命令形ではないことば使いで、なるべくサークルの近くで演奏するよう誘導しましょう。ファシリテーターは目くばり、気くばりで忙しいのです！

準備段階からロジスティクスを綿密に練っておくと、ドラムサークルの成功の確率は、ぐっと高いものとなります。私は個人的には、**ドラムサークルが始まった時点で、ファシリテーターの仕事はほとんど終わっている**と考えています。開始時以降は、プレイショップで学んだフォーマットに従い、しかもそれに捕われることなく、サークルから情報を集め、*ペーシング＆リーディングを行いながら、プロセスしていけばよいのです。それくらい大切なロジスティクスを人任せにするということは、考えられません。できる場合はスタッフの助けを借りながら、自分でじっくりと取り組みましょう。

野外フェスティバルの例。人数の変動が激しいため、手前のテーブルにパーカッションを配置

楽器を片づける

＊相手・参加者とまず調子を合わせ、その人（人々）が行きたがっている方向を見定めて、リードしていく（できれば、そうとわからない方法で）手法。神経言語プログラミング（NLP）でも使われる概念。NLP（Neuro-Linguistic Programming: NLP）とは、ジョン・グリンダーとリチャード・バンドラーの2人によって提唱されたもので、催眠療法のミルトン・エリクソン、ゲシュタルト療法のフレデリック・パールズ、家族療法のバージニア・サティアの、3人の心理療法家のテクニックを観察・体系化したものだとされる。ジョン・グリンダーと懇意なアーサーのドラムサークル理論やトレーニングにはNLPの影響がみられる

Section 2

第4章　エンパワーメント・ドラムサークル

アーサリアンの基本概念

アーサー・ハルは、長年の経験を経て、とらえどころのないドラムサークルという有機的な活動の中に、非常に有用な基本概念を見いだし、それをユニークな名前で呼んでいます。[1]クリスティーン・スティーヴンス、[2]カラニ、[3]ジム・グライナーなど、現在世界のトップ・ファシリテーター兼トレーナーたちも、最初はアーサー・ハルにドラムサークル・ファシリテーションを師事し、自分流の方法を発展させ、似たような概念を異なる表現で表している場合もあります。

以下は、もっとも重要な概念を示す代表的**アーサリアン用語**です。

Drum Call／ドラムコール：コミュニティ・ドラムサークルの冒頭で、参加者の到着次第、自然発生的に演奏をはじめてもらうこと。この間ファシリテーターはロジスティクスの対応、参加者の歓迎、最初のTeaching without teaching等を行っている。ドラムコールの目的は、プレイショップで詳しく学ぶことができる。

Teaching without teaching（教えることなく教える）：現代人は、ことばによるコミュニケーションに頼って、おおかたのことを伝えようとします。それにより、**教える**という行為は、どうしても「ああしなさい、こうしなさい」と指導性が高くなり、「正しい vs まちがい」という概念が生じてしまいます。音楽レッスンの場合には、ことばではなく「先生」の「モデリング（真似）」で進められることが多いのですが、その場合もやはり、「正誤」「優劣」が出てしまいます。ドラムサークルや音楽に限らず、現在はさまざまな分野におけるファシリテーション技術が注目されており、ティーチングとファシリテーションの大きな違いのひとつが、このTeaching without teachingだと言えるでしょう。Teaching without teachingでは、参加者が**教えられている**ことに気がつかない状態を保ったまま、さまざまな手法を使って教えていきます。そうすると、何を教えるかが重要なポイントとなります。ドラムサークルでファシリテーターが教えるのは、演奏上のスキルよりも、コミュニケーション・スキル（聴くこと、他者を尊重すること、いろいろな人つまり音色があると認識すること、基本的ルールを認識すること等）なのです。そのためには、どんなシークエンス、つまり、**何を？**（What?）ではなく、**いつ？**（When?）、**何の目的で？**（Why?）そのシークエンスを行うか、ということの方が、格段重要となります。

*1 REMOヘルスリズムズ、REMOファシリテーター、UpBeat Drum Circles（http://www.ubdrumcircles.com/）主宰
*2 TOCAエンドーサー・ファシリテーター、Drum Circle Music（http://www.drumcirclemusic.com/）主宰
*3 LPエンドーサー・アーチスト、Hands-On! Drumming Events（http://www.handsondrum.com/）主宰

Orchestrational Spot／**オーケストレーション・スポット**：サークルのセンターのある地点を指します。たいへん大きな力をもつオーケストレーション・スポットは、**参加者の許可を得て**はじめてファシリテーターが立つことを許される、とても大切な場所です。とくにサークル前半のオーケストレーション・スポットの扱い方ひとつにより、その後のファシリテーションがうまくいって、参加者が心から喜んだり絆を感じるかどうかが大きく左右されます。また、オーケストレーション・スポットは目に見えないため、開始時にファシリテーターが**創る**、**設定する**必要があります。ファシリテーターがそこにいる時には理由があることを、Teaching without teaching で教えていきましょう。

オーケストレーション・スポットは、「あるもの」ではなく「創るもの」

Attention Call／**アテンション・コール**：サークルに入ったファシリテーターが、参加者に注意を促すこと。「**これから何かが起こる**」ということを伝えます。アテンション・コールの方法は、ドラムサークル全体の時間の流れや状態によって変化してきます。

GOOW（Get Out Of their Way）／**ゴウ**：オーケストレーション・ポイントやサークルの中にファシリテーターがずっと居続けることにより、ファシリテーターの「優位性」がいつまでも払拭されず、サークルは依存心の高い集団になってしまいます。ドラムサークルはファシリテーターのものではなく参加者のものである、というのが、アーサリアンの基本概念です。また、一見GOOWしているように見えても、ファシリテーターのプレゼンス自体（または「気配」）がGOOWしていなければ、サークルは常にファシリテーターの次の動きを期待しつづけてしまいます。DCファシリテーションは、形だけでなく、ファシリテーターの「**在り方**」が大きな意味合いをもつのです。

Transition Point／**トランジション・ポイント**：自立したサークルが、ファシリテーターの助けを必要とする時間帯が、トランジション・ポイントです。しかし、一口にトランジション・ポイントと言っても、ある一瞬がそれに該当する訳ではなく、さまざまな度合いで、刻々と推移していきます。また、サークルのどの段階において、トランジション・ポイントのどの時点で介入するか、アーサリアンでは緻密な理論が作られています。

Window of communication／**ウィンドウ・オブ・コミュニケーション**：ドラムサークル中に、演奏の行われていない状態で（一部の人が低音量で演奏している場合も可能）、ファシリテーターが話をする時間帯を指します。ウィンドウ・オブ・コミュニケーションでは、挨拶、謝辞、そのイベントの主旨やそれにあったメタファーなどを話すことがあります。

KISS（Keep it stupidly simple ）／**キッス**（p.31参照）：これは、できそうでできない難しい大前提です。何度も書いたように、ドラムサークルは、ファシリテーターの技術やアイディアを披露する場ではありません。シンプルかつミニマルなセグメントまたはシークエンスでサークルを最大限のポテンシャルに導くのが、マスター・ファシリテーターです。

シンプル・イズ・ベスト！

以上の他にも大切な基本理念や細かい概念がありますが、これらはすべてエンパワーメントにつながる重要ポイントです。しかしながら、頭ではわかったつもりになっていても、経験を積み、失敗や自意識との闘い（!?）を経て、どうすれば以上のようなことが真の意味で達成できるかを理解できるようになるには、少し時間がかかるでしょう。あわてずに、少しずつ勉強していきましょう。

フィードバック：失敗はない。あるのは*フィードバックのみ

ドラムサークルでは、ファシリテーションに**失敗**はない、とされています。しかし、失敗したと認識し、そのままほおっておくと、それは失敗となってしまいます。「うまくいかなかった」と感じたら、「それは，なぜか？」を探り、「次回どう改善するか」を探れば、それは失敗ではなく、**学びの機会**となります。

「失敗がない」のは、ファシリテーターのみならず、参加者にとっても同じことです。ドラムサークルでは、ファシリテーターにあてはまることが、参加者にもあてはまることが多々あります。

また、ドラムサークルはやりっぱなしでいると、やはり成長していくことができなくなります。そこでアーサー・ハルのトレーニングでは、要所要所で「何が起こったか？」「何がうまくいったか？」「何がうまくいかなかったか？」「それを改善するために、次回どういうことを試みたいか？」を考えたり、話しあったりします。

ドラムサークルでは、参加者にも失敗はない

私がドラムサークルを始めた頃は、日本にアーサリアンの仲間がいなくてひとりぼっちだったので、ドラムサークルが終わるとかならず、上の内容を含めた詳細を自作のフィードバック・フォームに書き込み、それを1年くらいつづけました。

そうした**自己フィードバック**の他に、**他者フィードバック**（誰かがそのセッションについて本人にフィードバックする）、**グループ・フィードバック**（グループで本人にフィードバックする）も行うことができます。日本では一般の場面ではフィードバックの習慣がないため、とくにグループ・フィードバックをするには、最初はフィードバックのためのファシリテーターが必要となるかもしれません。他者に対してフィードバックする際には、その人の**人格ではなく**、ドラムサークル中に**行った行為（シークエンス）のみを対象とする**こと、批判的、評価的にならないこと、感情的にならないなど、注意が必要となるでしょう。グループ・フィードバックの最大の利点は、人の数だけアイディアや解決策という**選択肢が増える**ことです。「正しい答え」というのはない場合もあるので、選択肢が多ければ、可能性や柔軟性が高くなります。フィードバックする側の人は、される人に**評価を下すのではなく**、その人がよりよくなれるよう、愛情を込めて行うとよいでしょう。

アーサー・ハルのトレーニングでは基本的に、フィードバックを受けた時の唯一許される返答は「**ありがとう**」です。その他のことばを自由に言った場合、どうしても自己防衛的になったり、言い訳を言ったりすることに注意がそれてしまうからです。フィードバックする側は、そういう返答がすんなりできるような、冷静に本人の役に立つフィードバックをしてあげたいものです。

＊　ドラムサークルでは、この項に述べた以外にも、ドラムサークル中のフィードバック（参加者の反応）も起こる

神経言語プログラミング（NLP）では、「人間はネガティヴな意図というものをもたない」とされています。ドラムサークル・ファシリテーションを行う時、「この演奏をめちゃくちゃにしてやろう」とか「ドラムは楽しくないと思わせよう」と思うファシリテーターはいません。しかし、ファシリテーターが柔軟性に欠け、状況を的確に読む力が発達しておらず、その瞬間に多くの選択肢を持たず、あるプロセスを経るのに必要以上の時間がかかってしまった場合、ネガティヴな意図はなくとも、「改善の余地のある結果」がもたらされてしまうことがあります。また、せっかく同じ状況で、本来到達するべきエンパワーメントの地点まで至ることもできないでしょう。さらに、ファシリテーターは参加者の許可のもと、参加者のためにそこにいるにもかかわらず、そうした状況により自分と参加者の間に壁を作り、参加者の心の深い部分の抵抗を受けてしまいます。

ドラムサークルはコミュニティの縮図

日本語の**コミュニティ**ということばは、**地域社会**という意味合いの強いものですが、ここでいうコミュニティというのは、「**人の集団**」という意味です。ですから、もちろん地域社会、仲間、学校、会社、施設など、さらには家族も、コミュニティの一種です。

ドラムサークルは、コミュニティの縮図

広義のコミュニティには、年齢、性別、障がいの有無、国籍、職業など、いろいろな要素をもつ人が含まれています。また、人前で物怖じしない人、恥ずかしがりやの人、理論的な人、感覚的な人、行動派の人、思索派の人、リーダー格の人、人についていくことにより能力を発揮する人、几帳面な人、大雑把な人などさまざまな人がいます。誰ひとりとして同じ人はいない、10人10色と言うことです。

ドラムサークルを見回すと、世界各国から集められたいろいろな楽器が目に飛び込んできます。そうした楽器を、人間という有機的な存在が、それぞれ自分の好きなように演奏して、全体として美しく楽しい音楽ができあがります。それぞれのパートは違っていても全体で機能することができる、また、それぞれの人に異なる役割がある、というのは、まさにコミュニティの縮図と言えます。

フェスティバルでは、一時的コミュニティ体験がなされる

現代社会では、コミュニティが崩壊しているという見方があります。これは、上に書いたような本来の健全で正常な状態が損なわれているという意味でしょう。ドラムサークルは、安全な形で人間の**コミュニティの本来の姿の疑似体験**を通して、かつてあった姿を思い出し、自信をつけるための素晴らしい手法です。個性や役割は違って当たり前、それでも自分らしく一生懸命その役割を担っていくことにより、イキイキとした社会がとりもどせるでしょう。「正しい・間違い」「成功・失敗」「勝ち組・負け組」という概念にしばられがちな時間をたくさん過ごす現代人にとって、少なくともドラムサークル中は**そのままでいい**と認めてもらうことは、エンパワーメントの第一歩となります。

ドラムサークルは音楽ではない

この見出しを読んで、驚く人が多いかもしれません。たしかに、ドラムサークルとは楽器や音を使っているので、ある種の音楽です。しかしそれ以上に大切な点は、ドラムサークルは**人である**、ということです。そして、ドラムサークルは**関係性**です。その有機的かつダイナミックな**動き**が、音として現れるというのが、ドラムサークルの正しい見方です。つまり、**まず音楽ありきではない**のです。音楽を演奏する人なら誰にでもわかりますが、演奏スキルだけがあってもアンサンブル演奏はうまくいきません。

グループ・ファシリテーション（グループを対象としたファシリテーション）は、元来さまざまな要素を含む複雑なもので、最近日本でも話題に上ることが多くなってきた分野です。心理学者ユングですら、「グループのもつおそろしいばかりのパワー」を認めて、グループ・セラピーは行わなかったと聞いています。個がたくさん集まった時、そこにはパワフルなグループ・ダイナミクスが生まれます。

ドラムサークルはたまたま音を扱う手法であったため、従来の音楽的概念や方法を使えば**こちらが望む、意図する方向**に向かわせたり、コントロールしたりということが、ある程度簡単にできてしまいます。ここが、要注意ポイントです。それをしてしまうと、ドラムサークルの最大の目的であるエンパワーメントが行われず、本来は参加者のためのはずであるサークルがファシリテーターのものとなってしまいます。

そのためには細々とした対処策がありますが、根本的には、**ファシリテーションの対象は楽器ではなく、人・心・関係性である**ということを、いつも肝に銘じておく必要があります。REMO社のグループ・ドラミング・プログラム、[1]ヘルスリズムスの開発者の1人、クリスティーン・スティーヴンスは、著書の中で[2]「ドラムサークルでは、もしもドラムを見なかったとしたら、協力し、グループの音楽の中でユニークな自己表現をし、共通のパルスで結びついた人の集団が見えるはず」と書いています。

ドラムサークルの中心は、人と関係性

*1 REMO Health Rhythms：http://www.remo.com/portal/pages/health_rhythms/index.html
　日本でのヘルスリズムス：http://www.healthrhythms.net/index.html
*2 『ハート・アンド・アート・オブ・ドラムサークル』クリスティーン・スティーヴンス著、ATN刊

学習の4段階を「飛び級」する

[*1]**学習の4段階**と呼ばれる概念があります。

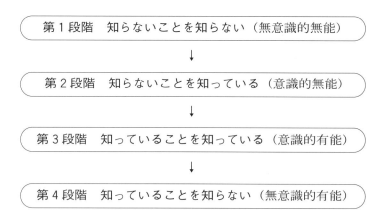

| 第1段階　知らないことを知らない（無意識的無能） |
| ↓ |
| 第2段階　知らないことを知っている（意識的無能） |
| ↓ |
| 第3段階　知っていることを知っている（意識的有能） |
| ↓ |
| 第4段階　知っていることを知らない（無意識的有能） |

わかりにくいので、例[*2]を挙げると、

　　第1段階：パパの膝の上でハンドルを握らせてもらった幼児が、「ボクね、今日運転したんだよ」と言う

　　第2段階：少し成長して、「自分には運転ができない」と知っている

　　第3段階：教習所に通い、いちいちすべてをチェックしながら運転している

　　第4段階：考えなくとも運転できるベテラン・ドライバー

多くの学習では、上の1〜4のプロセスをたどります。また、練習や勉強をしないでいると、後退してしまうこともあります。ドラムの世界では、4はさしずめマスター・ドラマーやプロ・ドラマーとなるでしょう。

ドラムサークルでは、Teaching without teachingにより、1から4、または2から4に**飛び級**するという、特殊なプロセスが起こります。ドラムサークル中、時にはプロ顔負けの素晴らしいアンサンブル演奏ができてしまうことがありますが、本人たちはその事実を認識していない場合が多いのです。

さらに特殊なのは、その時引き出された**音楽的スキル**は、その後にあまり残らないことです。ふだんから打楽器その他の楽器を演奏している人以外、「さっきドラムサークルで演奏していたリズムをもう一度やってください」と言われて、そのリズムを覚えている人は少ないでしょう。また、ドラムサークルの終了後に再び、同じような演奏はできないかもしれません。

ドラムサークル中には、ファシリテーターのサポートにより、**関係性のスキル**が高まった状態となっています。その成功体験によって、ドラムサークル後に音楽的スキルは残らないものの、参加者の関係性のスキルは少し向上しているということが考えられます。

このように、通常の学習段階とは異なる状態がドラムサークルによりもたらされることは、非常に興味深いポイントです。

[*1] 「意識的有能学習モデル」「意識的有能学習マトリックス」等の名称で呼ばれることもある。欲求段階説を唱えたマズローが作ったという説もある。また、この4段階に5段階めを付け加える説等、議論は現在でもつづけられている
[*2] NLPトレーナー、ジェフ・デューガン氏の例

「いま、ここ」

ドラムサークルのもう1つの特徴は、参加者が「**いま、ここ**」に集中している点です。

私たちは毎日どれくらいの時間、何を考えているか、ちょっと注意を払ってみましょう。「ああ、まだ昼休みまで30分もあるのか」「あの人のことばに傷ついたな」「次の電車に間に合うかな」「こんなに不摂生すると、成人病になるかもしれない」「こんなことすると、上司は怒るだろうな」「この服を着たら、（異性に）素敵だと思われるかな？」「今月の支払は、あとどれくらいあったっけ？」等々、人間はふつう休みなく思いをめぐらしています。そして、おどろくほど多くの時間、いま、目の前にないもののことを考えているのです。

暑い夏、緑に囲まれて清流に足をひたした時、真冬に湯気の白く立ち上る温泉につかった時、赤ちゃんの寝顔にみとれながら寝息を聴いている時、絵を描いたり音楽を聴いたりエクササイズをして没頭している時・・・そうした時に、人は五感を全開にして「**いま、ここ**」に没頭しています。

養老猛司氏は名著[*1]『バカの壁』の中で、「すべてのインプットは『五感』を、すべてのアウトプットは『運動』を通じてしか行うことができない」というようなことを書いています。つまり、すべては身体的体験だということです。

[*2]日本ストレス・マネジメント協会会長の精神科医の丸野廣先生に伺ったところによれば、「*禅には静禅と動禅がある。前者はいわゆる座った禅、後者は『ひたすら庭を掃く』『雑巾がけ』『写経』などの動きを伴う禅だ。動禅の特徴は、単純な反復運動であるということだ。禅を行う目的は雑念を払うことだが、その代わりに『ひとつのこと』に集中する技法が動禅*」となるそうです。

反復運動を行う、身体活動を伴う（ドラミングは有酸素運動だと考えられています）、という「動禅」の条件を満たし、楽しく人とのつながりを感じながら、しかもファシリテーターの助けを得るため努力を必要としない、「いま、ここ」に集中できるドラムサークルは、多くの人に役に立つことでしょう。

「いま、ここ」で、いつも思い出すのは、アメリカのアーサーのトレーニングに通い出した当初、先輩ファシリテーターに「また[*3]ククなんかたたいてる。やったことのないリズムをたたかないとダメだよ！」と言われ続けたことです。その頃の私は、少し[*4]ジェンベを習ってことがむしろ障害となり、「*自由に*」と言われても、なかなかうまくいきませんでした。こなれた[*5]ドラマーならともかく、少しドラムを習っている人は、フリー・ドラミングに慣れない場合、逆に自由にできなくなってしまうという矛盾があります。

ドラムサークルでは、**聴いたことのないリズム、習ったことのないリズムを演奏すること**が奨励されます。というのは、**聴いたことのあるリズム、習ったリズム**を再生している時、それを聴いた瞬間や習った瞬間、つまり**過去のある時点**に生きていることになるからです。ドラムサークルでは刻々と状況が変化し、一瞬として同じ瞬間はありません。また、時間や場所が違えば、もし同じ人と楽器でも、二度と同じ場面はありません。その瞬間瞬間に参加者もファシリテーターも反応していくことが、ドラムサークルの醍醐味なのです。

[*1] 『バカの壁』養老猛司著、新潮新書
[*2] 日本ストレス・マネジメント協会：http://www.ismaj.org/index.html
[*3] クク：ジェンベ・アンサンブルの代表的リズムの1つ
[*4] 西アフリカの伝統的ドラム
[*5] ドラムセット奏者ではなく、ここではハンド・ドラム奏者全般を指す

身体性

映画『パッチ・アダムズ』で知られるようになった**ケアリング・クラウン**(またはホスピタル・クラウン)という分野があります。それを[*1]推進する団体で日本に招かれワークショップを行ったモシェ・コーエンは「感情は身体に支配される」と語ったと言います。上記養老猛司氏をはじめ、さまざまな分野の人が、同じようなことを述べています。

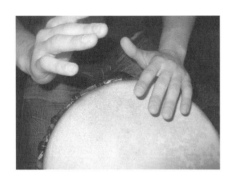

ドラムサークルは、心や関係性を扱いますが、その基本はやはり**ドラムをたたく**という身体活動です。「**体験**」または「**身体知を引き出す**」と、ことばを換えてもよいでしょう。

同時に、DCファシリテーターも、五感すべて(たまには第六感)を使って、その場で起こっていることを読み取り、それに柔軟性をもって対処していくことが大切です。

リズムがうまくいっていない時、そこには何が起こっているでしょうか？　音楽的に捉えるには、**聴覚**を使ってそれを察します。しかし、それ以外にもじつにさまざまなことが起こっているのです。何度も述べましたが、ドラムサークルにおける音楽の質は、関係性に左右されます。関係性を作るのは、1人ひとりの参加者の心と身体です。リズムが安定していない時、よく見回すと、不安そうな表情の人や、周囲を見回している人が増えてくる瞬間があります。これを捉えるのは**視覚**です。また、「何かがおかしい」と、**肌で感じる**こともあるでしょう。ファシリテーターの中には、リズムを**味覚**や**嗅覚**で感じる人もいると聞いたことがあります。アメリカには、聴覚障がい者の素晴らしいファシリテーターがいるそうです。彼は、健常者よりも他の感覚を研ぎすまし、その瞬間にサークルで起こっていることを的確に捉える能力をもっているのでしょう。

アーサー・ハル方式のドラムサークルでは、状況を捉え、その状況にしばらくは寄り添いながら (ペーシング)、やがてはそのサークルが向かいたがっている方向に導いていく (リーディング) という概念があります。サークルはあくまでも**参加者のもの**であり、**参加者の望む方向**を無視して、ファシリテーターの意図する方向に向けようとすると、ラポールは築くことができず、エンパワーメントすることもできません。ですからファシリテーターは、五感を含む身体を通常以上に鋭敏にし、それを駆使して[*2]**ペーシング＆リーディング**していく必要があります。参加者もファシリテーターも、身体という「**窓**」を通じて交流を行っています。その際にこのペーシング＆リーディングを行いながら、風に乗って飛ぶ鳥や波に乗ってあそぶイルカのように、流れに沿ったダンスを踊れるようになると、素晴らしいドラムサークル体験が得られるでしょう。

撮影　佐々木 薫

*1 ケアリンククラウン研究会：http://www.caringclown.jp/index.html　ケアリング養成団体。パッチ・アダムズやショビ・ドビ、モシェ・コーエン (Clown Without Border - 国境無き道化師団) 等、海外の主要クラウンも招聘している
*2 NLPの基本的概念の1つ

伝わるファシリテーション

人は、日常生活の会話や関係性の中で、自分が伝えたものは、相手に伝わったことと同じだと考えがちです。しかし、はたしてそうでしょうか？　多くのコミュニケーション理論では、**伝えたと思ったことと、実際に相手に伝わったことは、違うもの**という大前提が掲げられています。

私がワークショップなどでよく話をする、大好きな例をあげてみましょう。飛びついて困る犬の飼い主がいるとします。ドッグ・トレーナーは、*「犬は人間の口や鼻に近づきたくて飛びつくので、犬が飛びつこうとした瞬間にくるりと背中を向ければ、飛びつかなくなります」*と言います。飼い主はそれを試した「つもり」ですが、犬の飛びつき癖が一向に直りません。ふたたびトレーナーに聞いたところ、飼い主は背中を向けるのが遅い、ということがわかりました。犬がすでに飼い主の全面に飛びついた後、*「ポチ、ダメ！」*と言って犬を押しのけて背中を向けています。これを犬の立場から見たらどうでしょう？犬は、*「ちょっとだけど、顔に近づくこともできたし、声もかけてもらえたし、触ってもらった！ボクにとっては大成功！だから、これからもどんどん飛びつこう」*

本物の動物がドラムサークルに参加することも？！

「伝えたことと、伝わったことはちがう」という前提は、「そうか」と受け入れるのは難しくないかもしれませんが、それが「腑に落ちる」「身につける」ところに行くまでには、しばらく時間がかかるでしょう。これは本当に理解することができたなら、最終的には家族や友人、職場の人たちとの関係性も改善できるような、大きなテーマです。またこうした前提は、頭の中だけで表面的に理解したのと、**「はっきりと認識する」「意識しながら生きる」**とでは、大きな差があります。ぜひ、しっかりと認識して、時間をかけて身につけましょう。

教育学、心理学の学派等、分野によって具体的なパーセンテージには諸説がありますが、人間のコミュニケーションにおいて言葉が担う割合は、わずか5%〜15%と言われています。おどろくべき多くのことが、ボディ・ランゲージ、声のトーン等、言語以外の要素を通じて**「伝わってしまっている」**ことを知っておくと役に立つでしょう。

人は、自分が伝えたことと相手に伝わったことは同じだと考えがちだ

ドラムサークル・ファシリテーションを行っていると、「うまくいかなかった」と思う時の多くが、「伝えたと思ったことが伝わらなかった」ということでしょう。ほんとうは、それぞれのシークエンスがこちらの意図した形になったかどうかは、いちばん大切なことではないのですが、ここでは**なぜ伝わらなかったか？**を考えてみましょう。

これには複雑な要素がからみあってきますが、基本となるのは、参加者との信頼関係をしっかりと築くことと、ボディ・ランゲージの確立でしょう。それぞれについては、アーサーのトレーニングや＊著書で詳しく学ぶことができます。

＊ アーサーの著書：Drum Circle Facilitation（2009年ATNより翻訳版発行予定）

信頼関係とボディ・ランゲージに共通する重要ポイント、**一貫性**について考えてみましょう。一貫性は、自分の日常生活すらも含む態度、在り方とドラムサークル中の一貫性という広範なものから、ドラムサークルが始まってから終わるまでのボディ・ランゲージの一貫性という具体的なものまで、さまざまなレベルで意味をもっています。後者は鏡やビデオなどを見て練習することが可能ですが、前者は身につけるのに時間がかかるかもしれません。

複雑なキュー出しも、Teaching without teaching で可能に

後者については、まず身体の細かい部分をチェックすることで、ある程度の対処が可能です。身体の向きはどうか、視線や目つきはどうか、表情はどうか、予測可能なキュー出しをしたか、クリアなボディ・ランゲージだったか、一貫性はあるか…チェックする点はたくさんあります。

ボディ・ランゲージ以上に大切なのが、自分の**在り方**自体です。全神経（聴覚、視覚、体感覚その他）を参加者に向けてしっかりとラポールを築いたか、自分自身でいたか、心をこめてキュー出し、その他を行ったか、参加者の成功の喜びと自分のそれが同じだったか、等がそれにあたります。

細かい例になりますが、シークエンスを行い、終わったとたんにすたすたとサークルの外に出て行ってしまうファシリテーターを目にすることがあります。アーサリアン・ドラムサークルでは、**必要以上にサークルの中にいてファシリテーションを行わない**、つまり操作（マニュピレーション）をしないという大前提がありますので、居続けるよりはいなくなった方がよいと思います。しかし、そそくさと立ち去った場合に伝わってしまうメッセージとしては、「*私がやりたかったシークエンスは完了。私の用事は終わったので、もうあなた方には用はない*」というものになってしまうでしょう。これは極端

笑顔はエンパワーメントのサイン

な例ですが、伝えたと思ったことと、実際に伝わったことのギャップを示す典型です。いつも絶対に必要とは限りませんが、シークエンスを終え、すべての人が演奏を再開したら、うまくいっているかきちんと確認します。私も最初の頃は、ファシリテーションをしたがためにリズムがむしろバラバラになってしまった、ということをよく体験しました。うまくいっていたらOKサイン等で参加者に伝え、エンパワーメントしてからゆっくりとサークルから出て行くとよいでしょう。

上の例は、「**伝えたことと、伝わったこと**」の食い違いの1つの例です。自分はよかれと思って行ったことが、むしろサークルのディスパワーをしてしまったり、コントロールにより依存的な参加者を創り上げてしまったり、ファシリテーターと参加者の間が分断されてしまったり、ということもあります。このような食い違いに、まずは**気づき**、**改善**していく努力をしましょう。

ジャグリング

ドラムサークル・ファシリテーションは、おもに非言語で行われる、複雑なコミュニケーション・スキルです。前ページで「伝えたことと、伝わったこと」のギャップは、ドラムサークル中にくり広げられていることの、ほんの一部分に過ぎません。

ドラムサークル・ファシリテーターはサークルの真ん中に立った時、参加者の音を聴き、視覚で確認し、体で感じながら、全体の様子を捉え、その場で何が必要とされているかを判断し、その時たまたま遅れて入ってきた人のために椅子や楽器を用意し、自分のボディ・ランゲージを意識しつつも、同時にリズムを身体で刻む、等々、じつにさまざまなことを同時に行っています。これはジャグリングにたとえられます。1つのボールを落とせば、それに気をとられて他のボールも落としてしまうかもしれません。1つひとつていねいに着実に身につけていくように練習を重ねましょう。

プレイショプでジャグリングをしながら講習をするアーサー・ハル

第5章　他のワークショップから学ぶ

ドラムサークルを学んでいく過程の中で、他のさまざまなワークショップを受ける必要性を感じたり、出会いが生まれたり、ということが加速度的に多くなってきました。以下は、ドラムサークルを始めてから今までに私が受けた数知れないワークショップの一部です。

音楽的スキル&文化背景：ジェンベ、*1パンロゴ、コンガ、ドラムセット、フレーム・ドラム、ダラブッカ、ボーンズ、インド音楽理論、アラブ音楽理論、音楽療法、楽器作り、ストリート・ダンス、アフリカン・ダンス、ハイチ・ダンス、サルサ・ダンス、ベリー・ダンス、日本舞踊、リズム・トレーニング、その他

プレイショップ修了者対象に、講師の先生を招いてパーカッション・スキルを習い、その後にフィードバックセッションを行うインターミディエート講習

ダンス・レッスン

2005年、アーサー・ハルが来日した時のことです。リズムゲーム研修であるRhythmical Alchemy Playshopの最後に一般公開のドラムサークルを行いました。その際、友人のガーナ人ドラマーがパンロゴを持ち、同郷の*2バラフォン・プレイヤーを伴って参加してくれました。アーサーが2人をショーケースしたら参加者は大喜び！しかも、しばらくしたら、その2人の演奏に参加者全員の音を重ねていったのです。ドラムサークルの基本は**レスペクト**ですので、プロのガーナ人奏者にレスペクトを払いながら、しかも参加者が自己表現できる場を提供するには、アーサーくらいの膨大なドラムの知識と経験が必要になると痛感しました。そこで、1つの楽器でも習得には一生かかると十分承知の上で、「広く、浅く」いろいろな打楽器ワークショップにも参加しようと決心しました。プレイヤーになるわけではなく、ファシリテーターとしての参加ですので、少なくともそれぞれの文化の音楽がどういうルールにのっとって演奏されるのかくらいは把握しておきたいと考えたのです。

アメリカは地理上の理由により、各国の打楽器経験が長く情報も豊富なため、いろいろな文化の打楽器を知り尽くした上で、その背後にある普遍的なルールを教えてくれる優れたティーチャーがたくさんいます。一方日本では、アジアの音楽文化圏に近いという地の利もありますし、日本自体が豊かな*3**リズマカルチャー**をもつ国でもあります。ワークショップをたくさん受講できない場合は、たくさん聴く、触れる、というのも大切でしょう。

*1 パンロゴ：ガーナのドラム
*2 バラフォン：西アフリカの木琴
*3 「リズム」と「カルチャー」を合成させたアーサリアン言語

その他のワークショップ：アサーション、プレイバック・シアター、ケアリング・クラウン、インプロ・ワーク、NLP、プロセス・ワーク（グループ・ファシリテーション）、ファシリテーション、コンタクト・インプロ、フリー・ダンス、ナーダヨーガ、フェルデンクライス・メソッド他の各種ボディ・ワーク、その他

この分野は、直接ドラムサークルに関係がないように思えるかもしれませんが、ドラムサークルの根幹に関わっているものもたくさんあります。自己啓発的プロセスや、ファシリテーションやコミュニケーションの知識などは、ドラムサークルの幅と深さをぐっと広げてくれます。

また、私が個人的に一緒に仕事をすることも、互いのワークショップに参加することもあるコーチング、ファシリテーション、チームビルディング、ケアリング・クラウン、インプロ・ワーク、神経言語プログラミング（NLP）などの分野では、音楽という切り口から入ったドラムサークル・ファシリテーターとよりも、はじめから気が合うことが多いことに驚かされます。くり返し述べたように、何を？（What?）は、ドラムサークル・ファシリテーションの氷山の一角で、誰が見てもすぐに見て取れる部分です。しかし、その下にある膨大な部分は、どのワークや分野においても共通していると感じます。もちろん、各分野にも考え方や捉え方により、スタイルの違う集団がいますが、日本をリードするワークショップ・リーダーたちと共感しあえる部分も多く勇気づけられますし、彼らから学べることは私にとってかけがえのない宝となっています。

アーサー・ハルは、次のように語ってくれました。

「一部のワークショップは、自分の**キャラクター**を発見するのにとても有効だ。DCトレーニングでは、それを含めすべてをやれるわけではないからね。**キャラクター**、というのは、ヒーローや*クラウンのような意味ではなく、**ほんとうの自分**ということだ。ヒーローやクラウン的なファシリテーターはエンターテイメントという意味ではおもしろいかもしれないが、むしろ自分と参加者の中に壁を作ってしまう。**ほんとうの自分**というキャラクターをよく知って、いつでも取り出せるようにしておくと、参加者と真のつながりを持つことができるんだよ。また、それは自分のプレゼンスを磨くことにもつながってくる。人前でどうふるまうか、どういう自分でいるかを、いろいろなワークショップに参加する中で身につけることも大切だ。」

NLPプラクティショナー・コース

ケアリング・クラウンのショビ・ドビと

* クラウン：ピエロ

Section 3

第6章　リズム・ゲーム・ワークブック

この章では、リズム・ゲームを紹介していきますが、その目的は、リズム・ゲームを伝えることが目的ではありません。ゲームは、自分で作ることができます。また、作る必要性が生じれば、自分で一生懸命考えようとするでしょう。

ここで1つ例をあげます。ドラムサークルで私たちが「Tapper」と呼んでいる参加者がいます。Tapperとは、右－左－右－左と常に音を出して、スペースを埋めてしまう人を指します。初めて打楽器に触った人も多いドラムサークルでは、素早く自信ありげに手を動かしているTapperを見ると、「あの人はきっと上級者」だと思うでしょう。たしかにその人は日頃から打楽器に触れている可能性が高いかもしれませんが、ドラムサークル的には大きな問題点があります。

レクリエーショナル・ドラミングでは、スペースを空けながら演奏するのがよいとされています。スペースを空けないと、他の人の音が聴こえず、他の人が「発言」する機会が奪われます。全員がTapperのドラムサークルを想像してみてください。そこでは、ドラムサークルの醍醐味である、個性がパズルのように組み合わさり一体化した時の喜びやきらめきが感じられないでしょう。Tappingをする人は、音を埋め尽くしているため、他者の役割を必要としていません。それでも本人は十分楽しいとは思いますが、ドラムサークル的な参加により、さらなる喜びを創り出すことも可能なのです。また、その人が経験のあるドラマーの場合、うまくガイドすれば、サークル全体を支え貢献する力ももっているはずです。

つねにアイディアやインスピレーションを与えてくれる、海外の仲間たち

そうした人をどうやってTeaching without teachingするか、を考えている時、以下に示す「1 to 8」ゲームを思いつきました。その後、それは別の名前で他の人々が行っているゲームと同じものだと知りました。このように、必要性があればゲームは作ることができますし、逆に、セグメントやシークエンスと同じで、必要性がなければゲームを行う必要もありません。

山小屋で、ゲームでアイスブレーキング

セグメントやシークエンスでも、ゲームでも、いちばんのポイントは、本書のテーマの1つである、何を？（What?）行うかではなく、**いつ？（When?）、なぜ？（Why?）**行うか、です。とくに理由はなく、時間をつぶすため、間をもたせるため、盛り上げるためだけのシークエンスやゲームを行うことには、あまりドラムサークル的な意味がないと言ってもよいでしょう。本書では、シークエンスのいつ？（When?）、なぜ？（Why?）を考えるところに至るステップとして、ゲームのいつ？（When?）、なぜ？（Why?）を考えることを提案します。

ゲームやアクティビティは、その時の参加者や状況により、柔軟に、クリエイティヴに行う必要があります。そして、いつも決まりきったものである必要性はありません。

私がドラムサークルで行うリズム・ゲームは、なるべく**指導性の低いもの**を心がけています。とくにドラムサークルの前にウォーム・アップやアイスブレーキングのために行うゲームで指導性の高いものを使ってしまうと、ファシリテーターがリーダーやティーチャーになってしまって上下関係ができ、参加者の独立心や創造性が減ってしまいます。それでは、ゲームを行う意味がありません。

また私は、ドラムサークル中にセグメントやシークエンスだけではどうしても何かに関するTeaching without teachingが達成できないと感じる時には、一度ドラムサークルを中断してゲームを行うこともあります。中にはシークエンスのように見えるゲームや、ゲームからそのままドラムサークルに移行できるものもあります。

ワークブックでは、１つめのゲームのみ、例を示しました。次のゲームからはあなたがドラムサークルを行いながら考え、書き込んでみましょう。答えに正しい・間違いはありません。書き込みは、あなたの理解が変化すると共に変化していくかもしれません。また、新しい発展形やゲームを思いつくかもしれません。ドラムサークルと同じく、私たちドラムサークル・ファシリテーターも刻々と変化していくことを実感していただければ、あなたのドラムサークルはどんどん喜ばれるものに変わっていっていることでしょう。

前述の通り、ドラムサークルは鉛筆や定規といった**ツール**に過ぎません。与えられたシークエンスやゲームをいきあたりばったり使っている状況では、鉛筆や定規を持っているだけと同じことです。何を描きたいのか、どうすれば描けるのか、描き始めてから状況に準じてどう修正を加えるのか、等に取り組んで初めて、あなたのドラムサークルはいきいきと息づいてくるでしょう。また、日頃からいつ？（When?）、なぜ？（Why?）を**考える癖**をつけておくと、ドラムサークル中の**瞬間瞬間の選択肢と柔軟性**が増すはずです。

リズムゲームを紹介することがこの章の目的ではありませんので、たくさんのゲームを掲載しているわけではありません。ワークブックを利用することにより**考える癖**をつけて、自分でゲームや発展形を考えたり、本やインターネットで紹介されている数多くの一般のリズムゲームからドラムサークルに合ったものを選別し、自分でアレンジできるようになりましょう。

ゲーム 1 ： *1 シェイカー渡し

<　*2 目的＞

1. チームビルディング
2. アイスブレーキング
3. 動きのコーディネーション
4. 協力
5. 他者への思いやり
6. 創意工夫・クリエイティヴィティ
7. 成功体験
8. 笑い・リラックス
9. 体の左右を均等に使う
10. 柔軟性

< Teaching without teaching ＞

1. 1 人では成功しない
2. どの人も大切
3. テンポを守る（全体の基本ルール）ことが成功につながる
4. 他者とつながりをもつことや、思いやりをもって接することが成功につながる
5. 皆で成功すると、楽しい

<手順＞

1. 立って円になる
2. 左手に *3 シェイカーをのせる
3. 右手でそのシェイカーをとり、右の人の左手に渡す
4. それをくり返す。ファシリテーターは「とったら、渡す」などのかけ声でテンポを設定する。テンポを早くしたり遅くしたりする
5. それをくり返す

<注意点＞

1. 「落としても拾わず、そのままつづける」ことがルールであると、あらかじめ説明する
2. こどもがいる場合は、高さを揃えるために大人たちは膝をついた姿勢で行うとよい。椅子に座る、床に座る、等でも行うことができる

<発展型＞

1. 床に座り、右の人の左手に渡す代わりに、右の人の左膝の前に置いて渡すこともできる
2. スイッチ：右回り、左回りを、途中でスイッチする
3. シェイカーリズム：「とる、振る、渡す」「とる、チャチャチャ、渡す（○×○○○×○×）」など、振る動作を加えてリズムを作ろう
4. 歌を歌いながら：例「みかんの花咲く丘（みかんの花が〜）」「オブアシミサ（ガーナ民謡）」

---

*1 REMO Health Rhythms では「シェイカーパス」と呼ばれる。音楽療法士バリー・バーンスタインがガーナのこどもの遊びから考案したとされているが、同様の子供の遊びは世界各地に存在する
*2 目的とTeaching without teaching は、厳密に分けられない場合もある
*3 著者は、**意外性**をアップさせ、**笑い**、**創意工夫**を促す目的で、あえて異なる形のシェイカーを使い、一部ユーモラスな音の出るおもちゃを混ぜて行っている

ゲーム 2 ： [*1]1 to 8

＜目的＞

1.
2.
3.
4.
5.

＜ Teaching without teaching ＞

1.
2.
3.
4.
5.

＜手順＞

1．ドラムサークルと同じ楽器編成を使ってもよい

2．1 から 8 の中で、[*2]好きな数字を 3 つ選んでもらう

3．ファシリテーターがカウントし、その数字の時に音を出してもらう

4　そこからさらに音を足したりひいたりしてもらう

5．そのままドラムサークルへリズム・インしてもよい

＜注意点＞

1.
2.

＜発展型＞

1.
2.
3.
4.
5.

＜ゲーム 2 ： [*1]1 to 8

*1 カウンティング・ナンバーズとも呼ばれ、方法は人により少しずつ異なる
*2 極端なシンコペーションを避けるため、初めに「1 から 5 の、好きな数字を選んでください」と始める場合もある

ゲーム3：*進化ゲーム

＜目的＞

1.
2.
3.
4.
5.

＜ Teaching without teaching ＞

1.
2.
3.
4.
5.

＜手順＞

1．椅子を一重のサークルにセッティングする

2．シェイカー、ウッド、ベルのバランスを考慮に入れた、参加者の数倍の数のパーカッション（ドラム以外の楽器）をサークルの真ん中に置く

3．ファシリテーターがカウントして、全員が演奏を始める

4．参加者が立ち上がり、自分の楽器を置いて他の楽器をサークルからとり、椅子に戻って演奏をつづける。この時、演奏をつづけている人が極端に少なくならないよう、あらかじめ同時に楽器交換できる人数を決めて、参加者に伝えておく

5．どんどん楽器を交換しながら演奏をつづける

＜注意点＞

1.
2.

＜発展型＞

1.
2.
3.
4.
5.

* アーサー・ハルが考案したゲーム。その他のゲームは、Rhythmical Alchemy Playshopで学ぶことができる。アーサー・ハルは、ドラムサークル・コンシャスネスを高める優れたリズムゲームを数多く考案している

ゲーム４：*バナナ・バナナ・マンゴー

＜目的＞

　　1.

　　2.

　　3.

　　4.

　　5.

＜ Teaching without teaching ＞

　　1.

　　2.

　　3.

　　4.

　　5.

提供：スティーヴ・ヒル
（イギリスのDCファシリテーター）

＜手順＞

1. 「(1) バナナ、バナナ、マンゴー、(2) バナナ、マンゴー、バナナ、(3) マンゴー、バナナ、バナナ」というフレーズをおしえる。8×3で落ちつかない感じがする場合は、あと8カウント付け加えてもよい

2. 参加者に輪になって立ってもらう

3. 「バ（手を打つ＝A）」「ナ（左右交互に太ももをたたく=B）」「マン（両隣の人と手を打つ=C）」「ゴー（両隣の人と手を打つ=C）」とデモンストレーションする。つまり、(1)(2)(3)それぞれのフレーズは、(1)「ABBABBCC」(2)「ABBCCABB」(3)「CCAB-BABB」となる。それを繰り返す。2人ずつ向かい合わせで行ってもよい

＜注意点＞

　　1.

　　2.

＜発展型＞

　　1.

　　2.

　　3.

　　4.

　　5.

＊ カナダのコーラス・グループのウォームアップとして考案されたという説があるが、出典は明らかになっていない

ゲーム 5 ：ボール・トス

<目的>

1.

2.

3.

4.

5.

< Teaching without teaching >

1.

2.

3.

4.

5.

<手順>

1. ドラムサークルの楽器のセッティングで行うことができる

2. *1ボール、ビーチボール、風船などを、「ファシリテーターが上に投げた時は*2ランブル、床でバウンドさせた時は1回たたく」とルールを説明し、動作を行う

3. そのままドラムサークルへリズム・インしてもよい

<注意点>

1.

2.

<発展型>

1.

2.

3.

4.

5.

---

*1 どれを使うかによって曲想、エネルギー、安全性が変わるので、参加者・目的により適宜選ぶ
*2 ロールを指すドラムサークル用語

ゲーム 6 ：*ウォーク・トゥー・ザ・リズム＆グループ

＜目的＞

　　1．
　　2．
　　3．
　　4．
　　5．

＜ Teaching without teaching ＞

　　1．
　　2．
　　3．
　　4．
　　5．

＜手順＞

　　1．ファシリテーターがサークルの中にドラムを持って座り、参加者は全員サークルの外に立つ

　　2．ファシリテーターがドラムをたたき、参加者はサークルの周りを同じ方向に向かって歩く

　　3．ドラムのテンポを速くしたり遅くしたりする

　　4．ファシリテーターがドラムをやめると、参加者に止まってもらう

　　5．止まった瞬間に、何人かのグループを作ってもらったり、なんらかのポーズをとってもらう

　　6．これをくり返す

＜注意点＞

　　1．
　　2．

＜発展型＞

　　1．
　　2．
　　3．
　　4．
　　5．

ゲーム 6 ：*ウォーク・トゥー・ザ・リズム＆グループ

* 著者が運動療法士の友人におしえてもらったゲームを、ドラムサークル用に発展させたもの

ゲーム 7 : *レイヤリング・イン・ザ・リズム

＜目的＞

　1．
　2．
　3．
　4．
　5．

＜ Teaching without teaching ＞

　1．
　2．
　3．
　4．
　5．

＜手順＞

　1．ドラムサークルの楽器のセッティングで行うことができる

　2．1人が好きなリズムを始め、隣の人が次々にそれに加わっていく

　3．全員が演奏に加わりリズムが安定したら・楽しみつくしたら、始めた人が、全員にランブルを促し、演奏を終える

　4．1人めの隣の人から演奏を始める

　5．これをくり返す

＜注意点＞

　1．
　2．

＜発展型＞

　1．
　2．
　3．
　4．
　5．

＊ アーサー・ハルが考案したゲーム

ゲーム 8 ： *シャーピー・キャッチ

<目的>

1.

2.

3.

4.

5.

< Teaching without teaching >

1.

2.

3.

4.

5.

<手順>

1．ドラムサークル中に行っても、独立したゲームとして行ってもよい

2．ドラムサークル中に行う場合は、ファシリテーターが、「音をキャッチした」ボディ・ランゲージで、全員が演奏をストップする

3．目に見えない「キャッチされたボール」を、「ボール・トス」の要領で使ったり、参加者に投げたりする

4．そのままドラムサークルにリズム・インしてもよい

<注意点>

1.

2.

<発展型>

1.

2.

3.

4.

5.

* アメリカのDCファシリテーター、スティーヴン・シャープが考案したシークエンス系ゲーム。シークエンスに考案者の名前がつくこともある

ゲーム9：ストーリー・テリング

＜目的＞

1.
2.
3.
4.
5.
6.
7.
8.
9.

＜ Teaching without teaching ＞

1.
2.
3.
4.
5.

＜手順＞

ファシリテーターがストーリーを話して、参加者が自由に音を出すアクティビティー。いろいろなストーリーを作って試してみましょう。参加者のクリエイティヴィティに驚くはずです！　以下は私が作った、全員カエルギロのためのストーリーです。最初に大きなカエルギロを持ったお父さんカエルとお母さんカエル役の人を決めてから行います。

「あるところに、カエルの家族が住んでいました。お父さんとお母さんはとても仲がよく、たくさんのこどもたちにも恵まれました。生まれた赤ちゃんカエルたちは、すやすやと眠っていたり、泣いたりします・・・こどもたちは少し成長しましたが、まだ小さいので、お父さんとお母さんの言いつけをよく聴いて、楽しく暮らしています・・・　こどもたちはさらに成長すると、元気いっぱいに遊ぶようになりました・・・　でも、家族のリズムは保たれています。さらに成長すると、思春期にさしかかったこどもの中には、反抗期を迎え、お父さんやお母さんの言うことを聴かず、好き勝手にするようになりました・・・　こどもたち、もっと反抗してください！・・・　さらに大きくなったこどもたちは、お母さんとお母さんのもとを１人ずつ去っていきます・・・　それぞれの家庭をもち、こどもをなし、親の気持ちがわかるようになったと同時に、自分の家族のリズムを刻むのでした」

Appendix　実際にドラムサークルを行う

ドラムサークルを実際に行った方ならわかりますが、サークルに入りシークエンスを行うばかりがドラムサークルではありません。むしろ、それ以外の準備や仕事が大半を占めると言っても過言ではありません。

＜当日まで＞

依頼を受けた場合：料金等の交渉と共に、依頼者との打ち合わせをしっかりと行う。ドラムサークルの目的や人数、対象者の種類もきちんとヒアリングし、それに応じたプログラムや話を準備する。また、ドラムサークルの意味や自分が自信をもって提供できる内容を伝え、互いに納得したことを確認する。

自分で主催する場合：

会場探し：大人数でドラミングしても大丈夫か、かならず確認する。椅子等の備品もチェック

参加者募集（チラシ作成・配布、インターネット等で告知）

楽器準備・積み込み

スタッフ準備・そのための連絡等

必要なら保険に加入する

両方の形式に共通：必要ならプログラム作り、当日までの連絡、搬入経路の確認、人数や準備・搬出時間および状況によってはそのためにロジスティクスを考える、必要ならそれを書いた書類を準備する、その他

＜当日＞

余裕をもって会場に到着する。渋滞や会場の入口がわからず時間のかかることも考慮に入れ、早めに出発する。

準備：搬入→設営

ドラムサークル

搬出

＜後日＞

必要なら報告を行う

スタッフ内、またはクライアントと「ふり返り」を行う

ビデオを少なくとも３回見て、違う角度から分析（自己フィードバック）する

以上が基本的な流れとなります。こうしたプロセスを経て、ドラムサークル中には安心し落ちついていることができます。そのためにも、ていねいに準備して、終了後のプロセスにより、次回のドラムサークルに備えるようになりましょう。

参考文献

『ドラムサークル・スピリット』CD付　アーサー・ハル著、増永紅美、速水葉子、佐々木薫共訳、佐々木薫監修、ATN

『Drum Circle Facilitation』*Arthur Hull* 著、Village Music Circles

『Drum Circle Facilitation』（ビデオ・DVD）　*Arthur Hull* 著、Village Music Circles

『A Guide to Endrummingment』（ビデオ・DVD）　*Arthur Hull* 著、Village Music Circles

『アート・アンド・ハート・オブ・ドラムサークル』CD付
　　クリスティーン・スティーヴンス著、石井ふみ子訳、長坂希望監修、ATN

『アート・アンド・ハート・オブ・ドラムサークル』DVD（日本語字幕入）　クリスティーン・スティーヴンス、ATN

『トゥギャザー・イン・リズム』CD付　カラニ著、長坂希望訳、佐々木薫監修、ATN

『世界のパーカッション・ガイド　ドラム・サークル』CD付　*Chalo Edualdo & Frank Kumor* 著、岡崎さち訳、ATN

『ミュージック・セラピスト・ハンドブック』*Suzanne B. Hanser* 著、長坂希望訳、ATN

『ドラム・マジック～リズム宇宙への旅』ミッキー・ハート著、佐々木薫訳、工作舎

『ドラミング～リズムで癒す心とからだ』ロバート・L・フリードマン著、佐々木薫訳、音楽之友社

『バカの壁』養老孟司著、新潮新書

『音の神秘』ハズラト・イナーヤト・ハーン著、土取利行訳、平川出版者

『サイレント・パルス：宇宙の根源リズムへの旅』
　　G・レオナード著、スワミ・プレム・プラブッダ、芹沢高志、芹沢真理子共訳、工作舎

『身体が「ノー」と言うとき』ガボール・マテ著、伊藤はるみ訳、日本教文社

『コーチング・バイブル』
　　ローラ・ウィットワース、ヘンリー・キムジーハウス、フィル・サンダール著、CTIジャパン訳、東洋経済新報社

『シャーマンズ・ボディ』アーノルド・ミンデル著、青木聡訳、藤見幸雄監修・解説、コスモス・ライブラリー

『聴く力』マイケル・P・ニコルズ著、佐藤志結訳、VOICE

『楽器－歴史・形・奏法・構造』ダイヤグラムグループ編、皆川達夫監修、マール社

『NLP 実践マニュアル』ジョゼフ・オコナー著、ユール洋子訳、チーム医療

『Sitting in the Fire』*Arnold Mindell* 著、Laotse Press

『The Beat Of My Drum-An Autobiography』*Babatunde Olatunji* 著、Temple University Press

『When Drummers Were Women』*Layne Redmond* 著、Three River Press

『The Drummer's Path』*Sule Greg Wilson* 著、Destiny Books

『Conga Joy』*Bill Mathews* 著、Freemont Drum School

『Drum Circle Grooves』*Dennis Maberry* 著、Lulu Books

リズムを通じて人間の可能性を最大限に引き出す

アーサー・ハル　ドラムサークル・スピリット 《CD付》

Drum Circle Spirit

Arthur Hull 著

本書は、リズム・イベントをとおして行うコミュニティ創りのための本です。本書では、さまざまな対象グループ別のサークルを紹介しますが、一般的モデルとしては、オープン・コミュニティ・ドラムサークルを使っています。

ファシリテーションは、人びとが一緒になり、1つのパーカッション・オーケストラとして音楽を創る際の手助けをすることです。本書で紹介するさまざまなツールを使い、美しい音楽を創り、コミュニティのニーズをサポートしましょう。

ファシリテーションを学ぶために、音楽やハンド・ドラムの教師である必要は全くありません。実際、音楽やハンド・ドラムの教師は、適切なファシリテートをするために、彼らがすでに知識としてもっているものをいったん捨て去らなくてはならないことが多々あります。あなたがもし、中学や高校の教師、または青少年カウンセラー、自己啓発グループ等のファシリテーター、音楽療法士、あるいはドラムサークルの参加者であるなら、本書の内容を、きっとあなたの音楽コミュニティ創りに生かすことができるでしょう。

本書は、基本的なファシリテーション原理の理解と、ドラムやパーカッションを使ったリズム表現をとおしてのコミュニティのエンパワーメントを目的として、あなた独自のユニークなスタイルを確立するためのものです。

定価 [本体4,200円+税]

ファシリテーターのためのドラムサークルの創り方・楽しみ方

アート・アンド・ハート・オブ・ドラムサークル

The ART and HEART of Drum Circles 《リズム・サンプルCD付》

Christine Stevens 著

みんなで輪(サークル)になってドラムを叩く、それがドラム・サークルの始まりです。サークルの中心でリズムを導いていく役割のファシリテーターは、音やリズムを通して参加者が自己の能力に気づいたり、ありのままの自己や他人を受け入れたりする、その手助けをすることが使命です。Teaching without teaching(教えることなく指導する)が基本です。

ファシリテーターのためのドラムサークルの創り方・楽しみ方というサブ・タイトルがつけられた本書は、ファシリテートの2つの側面、アート(表現)とハート(人、心)を取り上げています。

ドラムサークルのファシリテーターは、ドラムサークルの先生ではありません。グループの人たちを動かして、彼らが自分の体内に潜んでいるリズムに気づくように助言し、導いていく、コーチのような存在です。

ファシリテーターがドラムサークルを始めたいと思っているあらゆる場所で、ドラムサークルを始める力を与えてくれるさまざまな方法が書かれています。

定価 [本体2,500円+税]

日本語字幕入りDVD

アート・アンド・ハート・オブ・ドラムサークル

by Christine Stevens

このDVDは、著名な執筆者であり、音楽療法士でドラムサークルのファシリテーターでもある*Christine Stevens*が、あなたをドラムサークルの世界へ誘います。The ART and HEART of Drum Circlesは、自宅で数人の友だちと一緒に楽しみたいあなたに、企業の集まりにやってくる何十人もの人をどうやってガイドすればよいか学びたいと思っているあなたに、以下の内容でお届けします。(収録時間：1時間28分)

定価 [本体4,300円+税]

　　ハンド・ドラムやパーカッションのための基本的なテクニック
　　ドラムサークルをガイドするために最も大切な8つの合図
　　ファシリテーション・フォーマット：満足してもらえるグループ体験の組み立て方
　　ハート：人びととの生活に感動を与えるドラムサークル
　　理念と研究が示す健康とウェルネスのためのレクリエーションとしての音楽創り

定価［本体4,500円+税］

ドラムサークル・ファシリテーターズ・ガイド

トゥギャザー・イン・リズム Together in Rhythm 《DVD付》

Kalani：著・演奏

パーカッション・マスター、教育者、ドラムサークル・ファシリテーターとして数々の賞を受賞しているKalaniが、ドラムサークル・ファシリテーションの神髄を伝えます。Kalaniのドラムサークル・ミュージックのアプローチは、あなたのファシリテーション、音楽教育、健康およびウェルネス、個人または専門家の成長と育成、レクリエーションなどの効果的なプログラムを創るために役立つでしょう。

本書の内容

■ 即時に成功をもたらす統合的な音楽創りのための、包括的かつ効果的なアプローチ

■ リキュラムに沿ったアクティビティ、情報源、創造力に富むアイディアなどを使用して、参加者の創造的な可能性を探索する

■ アクティビィティ、ゲーム、世界の打楽器ガイド、インタビューなどが収録されたDVDから、Kalaniのダイナミックなファシリテーションを学ぶ

■ 創造的な思考力、傾聴力、チームワーク、自己決定能力やコミュニケーションなど、参加者たちの人生において必要不可欠なスキルを発展させる

■ 魅力あるリズム・イベントを発展させると同時に、あなた自身のリーダーシップや感性、プレゼンテーション能力を向上させる

■ 学校、レクリエーション施設、楽器店、キャンプや保健所、家庭のために役立つ情報

定価［本体3,000円+税］

4つのベーシックな奏法を学ぶ

フレーム・ドラム FRAME DRUM 4 - BASIC STYLE 《模範演奏CD付》

大久保　宙：著・演奏

フレーム・ドラムとは片面にヘッドがあるドラムのことで、数多くの種類と名称があります。フレーム・ドラムは、円形の木枠に動物の皮(牛、ヤギ、魚、トカゲ、鹿、クジラ、ヘビ)からできているヘッドをもつ胴と皮だけのシンプルな楽器です。これらは世界各地でさまざまに進化し、鈴や鉄の小さな輪、ジングルがついたタンバリンなどに発展しました。

本書ではグリップと奏法を中心に近代的なフレーム・ドラミングを解説しており、基本的な4種類のフレーム・ドラムの奏法を学ぶことができます。本書に収められた4種類の奏法とさまざまなテクニックの中で、2ハンド・ポジション、シティング・ポジション(ニー・ポジション)は、著者がHartt Schoolの大学院時代にGlen Velezとの定期的なプライベート・レッスンで学んだものが多くあります。1ハンド・ポジションは、フレーム・ドラムの初心者やドラムサークル、音楽療法の現場で誰もが容易に叩けるように、1本の手(利き手のみ)で演奏できるようにしてあります。

また、フィンガリングなどの表記は、インドのフィンガリング・テクニックを使用しフリーハンド・スタイルを作り上げたJohn Bergamoに強く影響を受けたものです。

定価［本体3,000円+税］

フリー・ハンド・スタイルによる　# フレーム・ドラミング

FRAME DRUMMING FREE HAND STYLE - THE BASICS 《CD付》

Peter Fagiola 著　　大久保　宙 監修

ハンド・ドラム・テクニックの画期的なアプローチである本書は、ワールド・ミュージックの伝統に基づき、週末にドラムサークルを楽しむ方やプロのパーカッショニストにも最適です。テキストでは、スタンダードなリズム・パターンをわかりやすく解説してあります。**4つのベーシックな奏法を学ぶフレーム・ドラム**を習得した人には、すべてのプレイヤーの創造的な潜在能力をひき出してくれるでしょう。

本書の主な内容

テクニック、リズム、読譜を強化させるエクササイズ
従来の記譜法とインドのリズミック・シラブルのミックス
手の位置を詳細に示したイラスト
ハンド・ドラム・ストロークの索引

例題より、CDによる模範演奏とプレイ・アロングが41トラック収録されていますので、聴いて学ぶだけでなく、一緒に演奏して楽しむこともできます。

世界のパーカッション・ガイド

ドラム・サークル　　　　《オーディオ／ヴィジュアルCD付》

Drum Circle / A Guide to World Percussion　*Chalo Eduardo & Frank Kumor*　著

世界のパーカッション・ガイド／ドラム・サークルは、世界４大陸の打楽器のテクニック、音色、歴史とさまざまなリズムについて紹介しています。本書はそれらを学ぶための手がかりや各文化に固有の主要リズム、歴史や伝統的なスタイルの概観を自分のものとすることを目的としています。取り上げた楽器のガイドブックとして、近年得られた多くの譜例を掲載しています。

異なる楽器でも類似した奏法を共有することがあるため、文化にこだわらずに似た楽器をグループ化し、各章で取り上げてあります。同じグループ内の楽器はアンサンブルの中で持ち替えて演奏することができます。

各楽器のチューニングの方法と構え方を読み終えたら、演奏の準備が整います。正しく演奏するための技術的なポイントが楽器ごとに説明され、続いてリズムやドラム・アンサンブルでのアレンジ例を記してあります。

本書においては２とおりの方法でリズムと練習例を、従来の楽譜と拍子単位のタイム・ユニット・ボックスを使った記譜法で掲載しています。さらに楽器の音色を声で表現することができる場合には、そのような伝統的な方法も取り入れてあります。

定価［本体3,500円＋税］

本書の内容
ハンド・ドラム【コンガ、チンバウ、ジャンベ、ドゥンベック】　　フレーム・ドラム【タンボリン、タール、ボラン】
ジングル付フレーム・ドラム【パンデーロ、リック、タンバリン】　　ベース・ドラム【スルド、ジュンジュン、タンタン】
ベル（シングル・ピッチ／マルチ・ピッチ）【トライアングル、カウベル、アゴゴ、ガンコーギ】
リズム楽器【シェケレ、ガンザ、カバサ、スネア・ドラム、マラカス、ギィロ】
可変ピッチの楽器【トーキング・ドラム、クイーカ、ビリンボウ】　　コール・ドラム【ティンバレ、ヘピニケ】
世界の伝統的なドラム・アンサンブル
　　　　【中東、西アフリカ、キューバン・ルンバ／ワワンコ、ブラジリアン、マラカトゥ・バーキ・ヴィラード】
世界のビート・アンサンブル、ワールド・パーカッションのアンサンブル、楽器とリズムの選定、基本構造

ドラムスのフレーズ、世界のリズムを叩こう

カホン＆ジャンベ　Cajon & Djembe

大久保　宙　著・演奏　　　　　　　　　《模範演奏CD付》

今、パーカッション界で話題のカホンとジャンベの本格的教則本がついに登場!!　ドラムスのフレーズ、世界のリズムをカホンとジャンベで学ぶことができます。

カホンとジャンベの叩き方
付属CDと写真により、叩き方をわかりやすく説明

リズム・トレーニング
初めて打楽器をやる人のために、シンプルなリズム・トレーニングから学ぶことができ、これからカホンとジャンベを始める人にもお勧めです

定価［本体3,300円＋税］

ドラムスのリズムをカホンとジャンベで叩く
ドラムスのリズムをカホンとジャンベで叩けるようにアレンジして掲載、４、８、16ビートから３拍子までいろいろなドラム・フレーズが学べる

世界のリズム・パターンをカホンとジャンベで叩く
ボサ・ノヴァ、サンバ、パルチード・アウト、バイアォン、アフォシェ、マルシャ・ハンショ、フレーボ、マンボ、バラディ、マクスームワーデウ、アユーブ、カラチ、マスムーディなどたくさんのリズムを学べる

カホンとジャンベの特殊奏法
フリーハンド・スタイル（指技を多く使った演奏法）、チュートリル（指を重ねて強烈音を出す奏法）を含む多くの特殊奏法、シンバル、シェーカー、ハイハット、ドラムス・ペダル、ブラシなど、カホンとジャンベ以外の楽器を使いながらの応用法などもすべて、写真つきで説明

カホンとジャンベのアンサンブル
カホンとジャンベ２～４台までのアンサンブル練習曲が収録されている。付属CDのマイナス・ワンを使えば、１人でもCDに合わせてアンサンブルを楽しむことができる

定価［本体3,800円＋税］

現場で役立つ豊富な臨床例、分析と対応
ミュージック・セラピスト・ハンドブック
Suzanne B. Hanser 著

本書は、音楽療法士、医療専門家や学生がセッションを組み立てる際のガイドとして書かれています。子ども、成人、高齢者や、障害児（者）のための新しい音楽療法の臨床方法、活用法、参考になる事例、実話を数多く取り上げている本書は、すぐに実際の現場で活用できるこれまでに類のない音楽療法書です。

著者について

フロリダ州立大学にて音楽の学士号と修士号を取得。コロンビア大学にて教育の博士号を取得。博士課程終了後、National Institute on Agingの全米研究調査賞を受賞し、スタンフォード大学薬学部で特別研究員として老年学の研究を行う。パシフィック大学の学部長、全米音楽療法協会の会長、およびサンフランシスコ地域のアルツハイマー協会のプログラム・ディレクターを務める。前世界音楽療法連盟会長。

定価［本体2,800円＋税］

すぐにわかるジェンベの世界　オール・アバウト・ジェンベ
All About Jembe　【オーディオ・ヴィジュアルCD付】
by Kalani

ジェンベは、パーカッション・ファミリーの重要な楽器として、多様性に満ちた使い方ができるだけでなく、音楽や文化において長い伝統をもつ楽器です。本書オール・アバウト・ジェンベは、これまでにさまざまなドラミングを学んできた人が、さらにより深い知識を得るためにとびらを開きます。

本書の内容

Chapter 1	ジェンベの歴史と背景について	Chapter 5	演奏テクニック
Chapter 2	ドラムのタイプと構造	Chapter 6	手とリズムのエクササイズ
Chapter 3	チューニング	Chapter 7	パフォーマンス・アンサンブル
Chapter 4	演奏のポジション	Chapter 8	ドラムのケア

ATN, inc.

ファシリテーターの「在り方」
エンパワーメント・ドラムサークル

発 行 日　2008年10月20日（初版）

著　　　者　佐々木　薫
表紙デザイン　松田　ナオミ
表紙写真提供　保高　泰一
制　　　作　早川　敦雄
発行・発売　株式会社 エー・ティー・エヌ
© 2008 by ATN.inc.
住　　　所　〒161-0033
東京都新宿区下落合 3-12-21 目白エミネンス 102
TEL 03-6908-3692 / FAX 03-6908-3694
ホーム・ページ　http://www.atn-inc.jp

3574

ISBN978-4-7549-3574-0